KIM JEST
JEZUS?

KIM JEST
JEZUS?

Greg Gilbert

Słowo wstępne: Trip Lee

FUNDACJA EWANGELICZNA

Toruń 2018

Tytuł oryginału: *Who Is Jesus?*

Tłumaczenie: Rafał Orleański

Korekta: Iwona Kresak

Skład komputerowy: Aneta Krzywicka

Projekt okładki oryginalnej: Matthew Wahl

Redakcja: Tadeusz Tołwiński

Who Is Jesus?
Copyright © 2015 by Gregory D. Gilbert

Published by Crossway
a publishing ministry of Good News Publishers
Wheaton, Illinois 60187, U.S.A.
This edition published by arrangement with Crossway.

Wydawca:

Fundacja Ewangeliczna
ul. Myśliwska 2, 87-118 Toruń
www.fewa.pl

© Fundacja Ewangeliczna
Toruń 2018

9Marks ISBN: 978-1-950396-46-7

Cytaty biblijne pochodzą z Biblii Warszawskiej.

Jezus zapytał swoich uczniów: „Za kogo mnie uważacie?". Jest to pytanie, na które musi odpowiedzieć każdy z nas. Greg Gilbert w niezwykle przystępny i treściwy sposób wydobywa ze stron Pisma Świętego prawdę wynikającą ze stwierdzeń, które Chrystus wypowiedział o sobie samym. Lektura obowiązkowa zarówno dla chrześcijanina, jak i dla osoby poszukującej.

Jim Daly, prezes organizacji Focus on the Family

Największym atutem Grega jest zdolność przedstawiania głębokich treści w prosty sposób. Podobnie jak jego książka *Czym jest ewangelia?* pomaga odróżnić prawdziwą ewangelię od fałszywej, *Kim jest Jezus?* pomaga odróżnić Chrystusa takiego, jakim się sam przedstawia, od Jego przeinaczonego obrazu naszego autorstwa.

J.D. Greear, pastor przełożony kościoła Summit Church w Durham (Północna Karolina); autor książki *Jesus, Continued... Why the Spirit inside You Is Better than Jesus beside You*

Nie ma istotniejszego pytania w całym wszechświecie niż to, kim jest Jezus. Greg Gilbert, obdarzony błyskotliwym umysłem i sercem pasterza, krok po kroku wskazuje odpowiedź, a czyni to w przenikliwym, ale i przystępnym stylu. Niezależnie od tego, czy jesteś sceptykiem, który po raz pierwszy dotyka tego tematu, czy też wierzącym od wielu lat, książka *Kim jest Jezus?* zaprowadzi cię do miejsca, w którym wszyscy powinniśmy się znaleźć, by dostrzec chwałę Boga na obliczu Jezusa Chrystusa.

Russell D. Moore, przewodniczący Komisji Etyki i Wolności Religijnej; autor książki *Tempted and Tried*

Książka ta, napisana oczywiście z perspektywy chrześcijańskiej, uprzejmie i z szacunkiem odnosząca się również do wątpiących, pozwoli ci dokładnie rozważyć, kim jest Jezus. Gilbert rzuca w niej nowe światło na znane sceny, łącząc fakty z ich znaczeniem. Dzieło jest przemyślane, a równocześnie proste i pełne pięknej, biblijnej teologii. Czytelniku, masz przed sobą zaproszenie do osobistego poznania Jezusa.

Mark Dever, pastor przełożony kościoła
Capitol Hill Baptist Church w Waszyngtonie;
prezes organizacji 9Marks

Ta książka realizuje równocześnie dwa cele. W wiarygodny sposób umieszcza Jezusa w kontekście Jego czasów i pokazuje, dlaczego, chcąc postąpić odpowiedzialnie, nie możemy Go tam zostawić. Skierowana jest zarówno do ludzi, którzy nigdy nie myśleli o Jezusie, jak i do tych, którzy uważają, że doskonale Go znają.

Timothy George, dziekan
i założyciel Beeson Divinity School;
redaktor naczelny serii wydawniczej
Reformation Commentary on Scripture

Dwa najważniejsze pytania na temat Jezusa Chrystusa, z którymi człowiek musi się zmierzyć, brzmią: Kim On właściwie jest? Jak mam się do Niego odnieść? Gilbert w tej ważnej książce odpowiada na obie te kwestie. Od rozmowy w Cezarei Filipowej, kiedy Jezus zapytał uczniów o opinie na temat Jego tożsamości, żadne inne pytanie nie ma tak istotnych dla wieczności konsekwencji. Lektura tego wnikliwego tekstu wskazuje, że jego powstaniu towarzyszył dotyk Ducha Bożego, który objawia Jezusa Chrystusa.

Paige Patterson, rektor Southwestern
Baptist Theological Seminary

Ta niewielka książka wspaniale posłuży przedstawieniu ludziom, w tym sportowcom, których trenuję, najbardziej zdumiewającego człowieka, jaki kiedykolwiek chodził po tym świecie.

Ron Brown, trener akademickiego klubu
University of Nebraska Cornhuskers

Zawsze rozglądam się za krótką i zrozumiałą książką na temat życia Jezusa, którą mógłbym wręczyć osobie naprawdę chcącej dowiedzieć się, kim On jest i co czynił. To właśnie odnalazłem w publikacji *Kim jest Jezus?* Greg Gilbert ma rację: „Historia Jezusa nie jest historią dobrego człowieka. Jest historią pretendenta do tronu". Rozważ dowody przedstawione na kartach tego dzieła, a przekonasz się, dokąd cię zaprowadzą.

Daniel L. Akin, rektor Southeastern Baptist
Theological Seminary

Justinowi, Jackowi i Juliet

SPIS TREŚCI

SŁOWO WSTĘPNE

Czy zdarzyło ci się kiedyś pomylić pewną osobę z kimś innym? Pamiętam, jak byłem na przyjęciu z najlepszym przyjacielem z liceum. Zaraz po przybyciu dostrzegliśmy naszą przyjaciółkę Nicole. Stała w rogu i dobrze się bawiła. Poprzedniego dnia spędziliśmy czas z Nicole i jej znajomą, która akurat była w ciąży. Postanowiliśmy więc podejść do nich i się przywitać. Mój przyjaciel pozdrowił Nicole, po czym z miłym uśmiechem pogłaskał brzuch jej znajomej i z namysłem zapytał: „Jak tam dzidziuś?". Problem polegał na tym, że Nicole towarzyszyła inna znajoma, która ani trochę nie była w ciąży. Całe szczęście, że to nie ja odezwałem się pierwszy.

Takie pomyłki związane z tożsamością innych mogą być zabawne, ale i wprawić w zakłopotanie. Można się ośmieszyć lub kogoś urazić, więc lepiej upewnić się przed podjęciem rozmowy, z kim ma się do czynienia.

Książka, którą trzymasz w rękach, traktuje o rozpoznawaniu tożsamości pewnej osoby, ale tu stawka jest znacznie wyższa. Kiedy mówimy o Jezusie, chodzi o coś zupełnie innego niż rozpoznawanie starych przyjaciół czy znajomych. Jeśli popełnimy błąd w odniesieniu do tożsamości Jezusa, okaże się to nie tyle krępujące, co tragiczne.

Dlatego Greg Gilbert od samego początku twierdzi, że tytułowe pytanie, kim jest Jezus, to najważniejsze pytanie, jakie kiedykolwiek postawimy. Dla poszukujących, sceptyków, a może nawet niektórych chrześcijan może ono brzmieć śmiesznie, jednak w trakcie lektury zobaczysz, czemu jest tak zasadnicze. Rzecz jasna, nie spotkamy przypadkowo Księcia Pokoju na ulicy czy na przyjęciu, nie chodzi więc o skojarzenie twarzy z imieniem. Chodzi o zareagowanie na Niego z czcią i ufnością, na które zasługuje.

Dla przykładu, Greg pisze: „Kiedy dociera do ciebie, że Jezus jest faktycznie Bogiem i łączy Go wyjątkowa, niepowtarzalna więź z Bogiem Ojcem, zaczynasz także dostrzegać, że jeśli chcesz poznać Boga, który cię stworzył, musisz poznać Jezusa. Nie ma innego sposobu".

Jeśli Jezus był tylko kolejnym człowiekiem, poznanie Go nic nie zmienia. Jeśli jednak jest Synem Boga i jedynym Zbawicielem świata, poznanie Go zmienia wszystko.

Zbyt często bierzemy Jezusa za kolejnego człowieka, nauczyciela czy proroka. Jednak żadne z tych określeń nie jest wystarczające. Dzięki tej niewielkiej, choć ważnej książce Greg pomaga nam zacząć właściwie myśleć o tym, kim faktycznie jest Jezus.

Publikacja *Kim jest Jezus?* podoba mi się, bo jest wciągająca. Jej lektura przyniosła mi dużo radości. Jest wystarczająco prosta, żeby każdy mógł ją przeczytać, i zajmuje się istotnymi pytaniami. Co ważne, opiera się na prawdzie biblijnej. Greg nie wymyśla nowych sposobów patrzenia na Jezusa. Interesuje go tylko prawda historyczna. Kim jest ten Jezus i czemu jest tak istotny? Zamiast słuchać historyków, którzy Go nigdy nie widzieli, Greg skupia się na relacjach wiarygodnych, naocznych świadków, którzy Go spotkali. Koncentruje się na Bożym Słowie. Dlatego *Kim jest Jezus?* to mądra książką, która może przemienić życie.

Jezus wygłosił pewne radykalne stwierdzenia i pozostaje najszerzej omawianą osobą w historii ludzkości. Za kogo się podawał? Czy zgodnie z prawdą? Nie znam lepszej krótkiej książki, która może pomóc ci odpowiedzieć na te pytania. Mam nadzieję, że jej lektura będzie dla ciebie takim błogosławieństwem, jakim była dla mnie.

Trip Lee
raper, pastor i pisarz,
autor książki *Rise: Get Up and Live in God's Great Glory*

1

JAK MYŚLISZ?

Jak myślisz, kim jest Jezus?

Być może to pytanie nigdy nie zagościło w twoich myślach. W pewnym sensie to całkowicie zrozumiałe. W końcu mówimy o człowieku, który urodził się w rodzinie nieznanego żydowskiego cieśli. Nigdy nie piastował żadnego stanowiska politycznego, nie władał żadnym państwem, nie dowodził armiami. Nigdy nawet nie spotkał się z cesarzem rzymskim. Jezus przez trzy i pół roku po prostu nauczał ludzi o etyce i moralności, czytał i wyjaśniał Żydom ich święte pisma i – jeśli wierzyć naocznym świadkom Jego życia – czynił dość niezwykłe rzeczy. Z drugiej strony jednak wszedł w poważny konflikt z ówczesnymi władzami i niedługo po rozpoczęciu swojej publicznej służby zawisł na krzyżu, skazany na śmierć przez jednego z wielu zarządców rzymskich prowincji – człowieka usytuowanego na średnim szczeblu w hierarchii władzy.

Na dodatek wszystko to wydarzyło się jakieś dwa tysiące lat temu. Dlaczego więc ciągle o Nim mówimy? Czemu tak trudno uniknąć tematu Jezusa?

DAJ JEZUSOWI SZANSĘ

Bez względu na to, co o Nim myślisz, bez wątpienia możemy się zgodzić, że Jezus jest wybitną postacią w dziejach
świata. Pewien szanowany historyk następująco opisał
wpływ Jezusa: „Gdyby za pomocą jakiegoś supermagne-
su możliwe było wyciągnięcie z historii każdego odłamka
metalu noszącego choćby ślad Jego imienia, ile by pozosta-
ło?"[1] Dobre pytanie. Odpowiedź prawdopodobnie brzmi:
„Niezbyt wiele!".

Nie chodzi jednak o to, że Jezusa trudno pominąć
z historycznego punktu widzenia. Ważna tu jest też o wiele bliższa perspektywa. Pomyśl o tym. Masz zapewne co
najmniej jednego lub dwóch znajomych, którzy mówią, że
są chrześcijanami. Może nawet regularnie chodzą do kościoła i śpiewają pieśni o Jezusie, a nawet *do* Jezusa. Gdy
zapytasz dokładniej, mogą nawet stwierdzić, że łączy ich
z Nim *więź* i jest On w pewien sposób punktem odniesienia
dla ich życia. Poza tym niewykluczone, że w swoim mieście odnajdziesz wiele rozmaitych budynków kościelnych.
W niektórych z nich spotykają się zapewne w niedziele
kwitnące społeczności ludzi wierzących. Inne być może
nie służą już jako miejsca spotkań kościoła. Chodzi jednak
o to, że gdziekolwiek spojrzysz, jeśli tylko baczniej się przyj-
rzysz, dostrzeżesz coś, co przypomina o tym szczególnym
człowieku, który żył około dwóch tysięcy lat temu. Wszystko to skłania nas do postawienia pytania: kim On jest?

---

[1] Jaroslav Pelikan, *Jesus through the Centuries: His Place in the History
of Culture* (Yale University Press, 1999), 1. Wyd. polskie: *Jezus przez
wieki*. Tłum. Andrzej Pawelec (Znak, 1993).

Niełatwo na nie odpowiedzieć, zwłaszcza że nie osiągnęliśmy ogólnie przyjętego w społeczeństwie konsensusu co do tego, kim naprawdę był... lub jest Jezus. To prawda – bardzo niewiele osób wątpi w Jego istnienie. Panuje ogólna zgoda odnośnie do podstawowych informacji dotyczących Jego życia – gdzie i kiedy żył oraz jak umarł. Jednak wciąż obserwujemy wielkie rozbieżności, nawet pośród ludzi nazywających się chrześcijanami, co do *znaczenia* Jego życia i śmierci. Czy był prorokiem? Nauczycielem? A może kimś całkiem innym? Czy był Synem Bożym czy tylko niezwykle obdarowanym człowiekiem? I wreszcie – co *sam* na swój temat uważał? Czy Jego śmierć na krzyżu z rąk Rzymian również była częścią planu czy też po prostu Jezus znalazł się w niewłaściwym miejscu o niewłaściwym czasie? I największe pytanie ze wszystkich: czy po egzekucji Jezus pozostał martwy, jak to się dzieje z innymi ludźmi po śmierci, czy... nie?

Mimo wszystkich tych kontrowersji wydaje się, że wszyscy są zgodni co do jednego: Jezus był człowiekiem niezwykłym. Robił i mówił rzeczy, których zwykli ludzie po prostu nie robią i nie mówią. Ponadto Jezus nie przekazywał błyskotliwych porzekadeł czy perełek etycznych. Bynajmniej. Mówił na przykład: *Ja i Ojciec* [jak nazywał Boga] *jedno jesteśmy* lub *Kto mnie widział, widział Ojca.* I – co może najbardziej szokować: *Nikt nie przychodzi do Ojca, tylko przeze mnie*[2].

Rozumiesz, co mam na myśli? Zwykli ludzie nie mówią tego typu rzeczy! Bóg i ja jesteśmy jedno? Nikt nie

---

[2] J 10:30, 14:9, 14:6.

przychodzi do Boga inaczej niż przeze mnie? Nie jest to etyczne nauczanie, które można wcielić w swoje życie lub też nie. To *deklaracje*. Jezus przekazuje w nich to, co uważa za *prawdę*.

Możesz się oczywiście nie zgadzać z tym, co mówi. Możesz otwarcie to odrzucić. Ale pomyśl: Czy nie byłoby wskazane nie robić tego zbyt pospiesznie? Czy nie byłoby dobrze poznać nieco tego człowieka, zanim ostatecznie odrzucisz to, co mówi o tobie? Pozwól, że śmiało cię o coś poproszę, skoro już masz w ręku tę książkę i kilka jej stron za sobą: daj Jezusowi szansę. Być może, gdy więcej się o Nim dowiesz, zdasz sobie sprawę, że faktycznie są uzasadnione powody, by wierzyć w to, co powiedział – o sobie samym, o Bogu i o *tobie*.

SKĄD MOŻNA DOWIEDZIEĆ SIĘ CZEGOŚ O JEZUSIE?

Jak zatem masz poznać kogoś, kto żył dwa tysiące lat temu? Nawet jeśli rozpoczniesz od wiary w zmartwychwstanie, nie oznacza ono, że możemy zapukać do drzwi nieba i usiąść z Jezusem przy kawie. Skąd więc mamy dowiedzieć się czegoś o Jezusie? Wiele źródeł historycznych odnosi się do istnienia, życia, śmierci, a nawet zmartwychwstania Jezusa i można z nich pozyskać pewną wiedzę. Jednak z większością takich dokumentów wiąże się kilka problemów. Po pierwsze, wiele z nich powstało na tyle późno – czasem kilkaset lat po Jezusie – że nie są one szczególnie pomocne w poznaniu, kim On *naprawdę* był. Poza tym w większości przypadków nawet najcenniejsze z nich niewiele o Nim mówią. Koncentrują się na innych zagadnieniach, toteż jedynie wspominają o Jezusie, nie przedstawiając Jego postaci szczegółowo.

Istnieje jednak przeobfity skarbiec informacji o Jezusie – precyzyjna, osobista relacja z pierwszej ręki zawierająca to, co mówił, co czynił i kim był. To Biblia.

Poczekaj chwilę, zanim zamkniesz tę książkę! Znam ludzi, którzy na wspomnienie o Biblii wzdragają się, ponieważ myślą o niej jako o „książce chrześcijan" i dlatego sądzą, że jest nieobiektywna i bezużyteczna, jeśli chodzi o uzyskanie wiarygodnych informacji. Jeśli tak właśnie uważasz – wierz lub nie – twierdzę, że masz po części rację. Biblia faktycznie *jest* księgą chrześcijan. Bez wątpienia pisma Nowego Testamentu, stanowiące drugą część Biblii, zostały spisane przez ludzi, którzy wierzyli słowom Jezusa i mieli przekonanie, że pisma Starego Testamentu wskazywały Jego przyjście. Byli wierzący, temu nie da się zaprzeczyć. *Nie oznacza to* jednak, że mieli ukryte, podstępne intencje. Pomyśl: Co mogliby chcieć przeforsować? Czy chcieli stać się znani? Zarobić? Zostać potężnymi władcami czy bardzo bogatym kościołem? Oczywiście można na ten temat spekulować, ale jeśli to nimi kierowało, ich plan zawiódł na całej linii. W większości ludzie, którzy spisali Nowy Testament, wiedzieli, że mogą stracić życie za to, co mówią o Jezusie. *Mimo to nie przestawali mówić.*

Rozumiesz, o co mi chodzi? Jeśli ktoś pisze dla zyskania rozgłosu, władzy czy majątku, nie trzyma się kurczowo swojej opowieści, gdy może go to kosztować życie.

W takich okolicznościach człowiek broni swych słów do końca tylko wtedy, gdy chce *opowiedzieć, co naprawdę się zdarzyło*. To właśnie odnajdujemy w Biblii – zbiór relacji naocznych świadków, którzy wierzyli słowom Jezusa i spisali księgi, aby przekazać dokładny i wiarygodny opis tego, kim On był, co mówił i co czynił. Jak więc poznać Jezusa? Najlepszym sposobem jest lektura tych dokumentów, czyli czytanie Biblii.

Chrześcijanie wierzą, że Biblia jest czymś o wiele więcej niż po prostu zbiorem najlepszych dostępnych informacji o Jezusie. Wierzą, że jest Słowem Bożym. Oznacza to, że sam Bóg poprowadził jej pisarzy, by napisali to, co On chciał powiedzieć – więc wszystko, co tam umieścili, jest w stu procentach prawdziwe. Pewnie już wiesz, że i ja jestem chrześcijaninem i również uważam Biblię za Słowo Boga.

Jednak jeśli dla ciebie to za daleko idące stwierdzenie, w porządku. Nawet jeśli w to nie wierzysz, zawarte w Piśmie Świętym dokumenty dotyczą historii. Są tekstami osób, które chciały przekazać dokładną relację o Jezusie. Podejdź, proszę, do nich w taki sposób. Zadawaj pytania, czytaj je krytycznie i uważnie, zupełnie tak jak inne dokumenty historyczne. Zastanów się, czy myślisz, że to prawda czy nie. Proszę tylko o jedno: potraktuj Biblię uczciwie. Nie wrzucaj jej z hukiem do pudła z napisem „Religijne rupiecie" i nie decyduj od razu, że jest głupia, prymitywna i fałszywa.

Ludzie, którzy spisali dokumenty Nowego Testamentu, byli mądrzy. Byli mieszkańcami, a nawet obywatelami najpotężniejszego imperium na całej planecie. Czytali dzieła filozoficzne i literaturę, z którymi do dziś zapoznajemy się w szkołach (tyle że czynili to uważniej i z większym namysłem niż większość z nas). Co więcej, znali różnicę między faktami a fikcją. Wiedzieli, czym jest ułuda i oszustwo, a także czym różnią się one od historii i prawdy. Tak naprawdę autorzy Nowego Testamentu pilnowali rozróżnienia między nimi z dużo większą ostrożnością, niż my to zwykle robimy. Podczas lektury ich pism zdajesz sobie sprawę, że wierzyli w to, co pisali o Jezusie. Byli tym *zdumieni*, ale wierzyli i chcieli, aby i inni wierzyli. Pisali więc, mając nadzieję, że ludzie będą czytać, poznają Jezusa tak, jak oni Go poznali, i być może uświadomią sobie, że warto Mu wierzyć.

Mam nadzieję, że ta niewielka książka pomoże ci poznać Jezusa przez pisma wczesnych chrześcijan. Nie będziemy studiować strona po stronie ksiąg Nowego Testamentu. Raczej wykorzystamy wszystkie te źródła, aby poznać Jezusa w taki sam sposób, jak poznawała Go idąca za nim osoba – najpierw jako nadzwyczajnego człowieka, który czynił całkowicie nieoczekiwane rzeczy. Jednak szybko następowała refleksja, że słowo „nadzwyczajny" jest w odniesieniu do Niego dalece niewystarczające. Oto człowiek, który twierdził o sobie, że jest prorokiem, zbawicielem, królem, a nawet samym Bogiem; człowiek, którego słuchacze mogliby w uzasadniony sposób uznać za obłąkanego lub szarlatana, gdyby nie fakt, że wciąż *czynił* rzeczy potwierdzające Jego śmiałe stwierdzenia. Do tego dochodziło to, jak niespodziewanie traktował ludzi

– okazywał współczucie wyrzutkom, gniew potężnym i miłość tym, których nikt nie kochał. Na dodatek wcale nie zachowywał się jak król czy bóg. Kiedy proponowano mu koronę, odmówił; nakazał naśladowcom milczeć na temat swojej prawdziwej tożsamości; twierdził natomiast, że wkrótce zostanie ukrzyżowany przez władze jak pospolity przestępca. A jednak mówił tak, jakby to wszystko od początku było częścią Jego planu. Słuchając i obserwując Go, naśladowcy Jezusa krok po kroku doszli do przekonania, że był kimś więcej niż tylko nadzwyczajnym człowiekiem. Był kimś więcej niż nauczycielem, prorokiem, rewolucjonistą czy nawet królem. Jeden z nich tak to ujął pewnej nocy: *Ty jesteś Chrystus, Syn Boga żywego*[3].

NAJWAŻNIEJSZE PYTANIE, NA JAKIE KIEDYKOLWIEK PRZYJDZIE CI ODPOWIEDZIEĆ

Kim więc jest Jezus? Zawsze było to frapujące pytanie. Od chwili, w której pojawili się pasterze, twierdząc, że to aniołowie uprzedzili ich o Jego narodzeniu, poprzez tę noc, gdy zdumiał uczniów, uciszając morze, aż po moment, w którym nawet słońce przestało świecić w dniu Jego śmierci, wszyscy zadawali sobie to pytanie: kim jest ten człowiek?

Może biorąc tę książkę do ręki, nie wiesz zbyt wiele lub zgoła nic o Jezusie, a może wiesz o Nim całkiem dużo. Tak czy inaczej, mam nadzieję, że podczas lektury i wspólnego odkrywania Jego życia zaczniesz Go lepiej poznawać

[3] Mt 16:16.

– nie tyle jako obiekt rozważań akademickich czy postać religijną, ale jako kogoś, kogo osobiście znali pierwsi chrześcijanie, i jako swojego przyjaciela. Mam nadzieję, że zrozumiesz, co ich w Nim zdumiewało, a po zakończeniu lektury będziesz już wiedzieć, czemu miliony ludzi mówią: „Temu człowiekowi powierzam swoją wieczność".

Poza tym wierzę, że ta książka będzie stanowić dla ciebie wyzwanie, by potraktować stwierdzenia Jezusa poważnie. Gdy ktoś ogłasza, że jest twoim Bogiem, są tylko dwie możliwości, prawda? Taką deklarację można albo odrzucić, albo przyjąć. *Nie da się* natomiast, a przynajmniej nie na długo, odkładać oceny, by po prostu zobaczyć, jak wszystko się potoczy. Jezus powiedział niezwykłe rzeczy o sobie, a także o tobie. Czy ci się to podoba czy nie, rodzi to niezwykle istotne konsekwencje dla twojego życia. Mam więc nadzieję, że moja książka pobudzi cię do poważnego przemyślenia tematu Jezusa, pomoże jaśniej ujrzeć Jego słowa oraz ich konsekwencje i poprowadzi do przemyślanej odpowiedzi na pytanie, kim jest Jezus.

To naprawdę najistotniejsze pytanie, na jakie przyjdzie ci odpowiedzieć.

2

NADZWYCZAJNY CZŁOWIEK
I NIE TYLKO

Była za dziesięć ósma, kiedy w piątkowy poranek zwyczajnie wyglądający mężczyzna wjechał ruchomymi schodami na ruchliwą stację metra w Waszyngtonie. Zatrzymał się przy ścianie i otworzył futerał ze skrzypcami. Wyciągnął z niego instrument, mający już swoje lata, na co wskazywało zdarte miejscami do gołego drewna wykończenie, i umieścił przed sobą otwarty futerał na datki. Następnie zaczął grać.

Przez kolejne czterdzieści pięć minut, gdy mężczyzna grał wybrane utwory muzyki klasycznej, przeszło obok niego ponad tysiąc zaganianych mieszkańców stolicy. Jeden czy dwóch z uznaniem podniosło głowy, jednak wokół muzyka nie zebrała się grupa słuchaczy. Jeden z przechodniów zorientował się, że ma jeszcze trzy minuty w zapasie, więc oparł się o kolumnę i słuchał – dokładnie przez trzy minuty. Jednak większość ludzi była pochłonięta własnymi sprawami, czytała gazety, słuchała swoich iPodów, śpiesząc się na kolejne spotkania, o których przypominały im urządzenia mobilne.

Muzyka była naprawdę dobra. Wypełniała sklepienie, tańcząc i płynąc z niebywałą precyzją, tak że dla kilku osób, które przez chwilę zwróciły na nią uwagę, brzmiała naprawdę wyjątkowo. Sam muzyk nie wyglądał jakoś szczególnie – czarna bluzka z długim rękawem, czarne spodnie, czapeczka baseballowa drużyny Washington Nationals. Mimo to każdy, kto na chwilę przystanął, zauważył, że nie ma do czynienia z kolejnym grajkiem zbierającym na drobne wydatki. Jako muzyk ów mężczyzna był zadziwiający. Ktoś nawet skomentował to następująco: „Większość osób odgrywa muzykę, ale jej nie *czuje*. On ją *czuł*. Był poruszający i poruszał muzyką. Wystarczyło posłuchać tylko przez chwilę, żeby stwierdzić, że ten gość jest naprawdę dobry"[4].

Nic dziwnego. Tamtego piątkowego poranka dla użytkowników metra nie grał pierwszy lepszy muzyk. Mało byłoby nawet powiedzieć, że był nadzwyczajnym instrumentalistą. To Joshua Bell, 39-letni wirtuoz podziwiany w wielu krajach, który zwykle występuje w najbardziej prestiżowych salach koncertowych świata. Jego słuchacze szanują go tak bardzo, że powstrzymują nawet kaszel do czasu przerwy. To nie wszystko. Bell grał w waszyngtońskim metrze najpiękniejsze utwory muzyki barokowej, a czynił to na trzystuletnim stradivariusie, wartym około 3,5 miliona dolarów!

Cała sytuacja miała być w zamierzeniu kwintesencją piękna: najpiękniejsza muzyka, grana przez jednego z naj-

---

[4] Gene Weingarten, „Pearls Before Breakfast", *The Washington Post*, kwiecień 2007.

bardziej utalentowanych wykonawców, na najdoskonalej strojącym instrumencie, jaki kiedykolwiek wytworzono. Mimo to trzeba było *zatrzymać się i skoncentrować uwagę*, aby to piękno dostrzec.

WIĘCEJ NIŻ NADZWYCZAJNY

Nasze życie w dużej mierze przypomina tę sytuację, prawda? W całej gorączkowej bieganinie wokół pracy, rodziny, przyjaciół, rachunków i rozrywki – rzeczy takie jak piękno czy wspaniałość bywają wypierane z naszych umysłów. Nie mamy czasu ich docenić, bo wymagałoby to od nas zatrzymania się i zwrócenia uwagi na coś, co wykracza poza sprawy pilne.

Tak samo ma się sprawa z Jezusem. Większość z nas, jeśli w ogóle nie jest On nam obcy, zna Go tylko powierzchownie. Może słyszeliśmy kilka najbardziej znanych opowieści o Nim lub potrafimy zacytować niektóre z Jego słynnych wypowiedzi. Bez wątpienia było w Jezusie coś, co przyciągało uwagę ludzi. Był nadzwyczajnym człowiekiem. Jednak jeśli naprawdę masz poznać Jezusa – zrozumieć Go i uchwycić Jego prawdziwe znaczenie – musisz się przyjrzeć nieco uważniej. Musisz wyjść poza zwyczajowe debaty, powszechnie znane krótkie cytaty i historie, żeby ujrzeć coś więcej niż to, co na powierzchni. Mówię tak dlatego, że skwitowanie Jezusa określeniem „nadzwyczajny człowiek" byłoby taką samą tragiczną pomyłką jak w przypadku wspomnianego skrzypka w metrze.

Bądźmy szczerzy. Nawet jeśli nie jesteś osobą „religijną", nawet jeśli nie kupujesz stwierdzeń, że Jezus był Synem Boga i Zbawicielem świata, musisz przyznać, że przyciągał ludzką uwagę. Raz za razem robił coś, co przykuwało wzrok ludzi, mówił rzeczy, które wprawiały ich w podziw nad Jego mądrością, a nawet konfrontował ich z prawdą w taki sposób, że gorączkowo próbowali to wszystko jakoś sobie ułożyć.

Na pierwszy rzut oka łatwo można wziąć Jezusa za jednego z setek religijnych nauczycieli, którzy ukazali się na scenie, przeżyli rozkwit popularności i wreszcie upadek, po czym zniknęli w zgiełku Jerozolimy I wieku. Nauczanie religijne w tamtych czasach nie było tym samym, czym jest dzisiaj. Owszem, ludzie słuchali go dla osiągnięcia głębszego wglądu i lepszego zrozumienia Pisma, a także żeby żyć sprawiedliwiej, ale doceniali też jego wartość jako formy rozrywki. Bez filmów, telewizji i smartfonów – co tu robić dla przyjemności? Brało się ze sobą prowiant i szło posłuchać kaznodziei!

Choć może to brzmieć dla nas dziwnie, pomaga zrozumieć, jak niezwykle *dobrym* nauczycielem był Jezus. Ponieważ mieszkańcy Izraela I wieku słuchali tak wielu nauczycieli i czynili to tak często, mieli doskonale wyrobione opinie na ich temat, zupełnie jak my w kwestii aktorów. Ujmując to łagodnie, niełatwo było zrobić na nich wrażenie. Dlatego warto na chwilę zatrzymać się i zauważyć, co tak naprawdę się dzieje, kiedy Biblia wciąż na nowo mówi, że ludzie byli zadziwieni nauczaniem Jezusa.

To niezwykłe sformułowanie pojawia się w Ewangeliach – czterech księgach stanowiących relację z życia Jezusa – co najmniej dziesięć razy[5]. Oto jeden z przykładów, pochodzący z Ewangelii Mateusza; opisuje reakcję ludzi po wysłuchaniu Kazania na górze: *A gdy Jezus dokończył tych słów, zdumiewały się tłumy nad nauką jego. Albowiem uczył je jako moc mający, a nie jak ich uczeni w Piśmie*[6]. Przysłuchajmy się uważnie! Ludzie mówili, że uczeni w Piśmie – ci, których zadaniem było nauczać z mocą – nie dorastali do pięt Jezusowi i Jego nauczaniu. Podobne słowa padały wszędzie, gdzie Jezus zawitał, i za każdym razem, kiedy uczył.

Czasem emocje zostały opisane innymi słowami. Przyjrzyjmy się reakcji ludzi, kiedy po raz pierwszy głosił w swoim rodzinnym mieście: *I wszyscy przyświadczali mu, i dziwili słowom łaski, które wychodziły z ust jego*[7].

A tak wyglądała sytuacja w małej rybackiej wiosce zwanej Kafarnaum: *I zdumiewali się nad nauką jego, gdyż nauczał ich jako moc mający, a nie jak uczeni w Piśmie*[8].

Ponownie w swoim rodzinnym mieście: *wielu słuchaczy zdumiewało się i mówiło: Skądże to ma? I co to za mądrość, która jest mu dana? I te cuda, których dokonują jego ręce?*[9]

I wreszcie w samej Jerozolimie, przy świątyni: *I słyszeli to arcykapłani i uczeni w Piśmie, [...] bo się go bali, gdyż cały lud zdumiewał się nad nauką jego*[10].

---

[5] Mt 7:28, 13:54, 19:25, 22:33; Mk 1:22, 6:2, 7:37, 10:26, 11:18; Łk 4:32.
[6] Mt 7:28–29.
[7] Łk 4:22.
[8] Mk 1:22.
[9] Mk 6:2.
[10] Mk 11:18.

Raz za razem ludzie spotykający i słuchający Jezusa byli oszołomieni, z niedowierzaniem kręcili głowami[11]. W kulturze, która postrzegała nauczanie jako jedną z głównych form wspólnej rozrywki, Jezus zbierał niezwykłe recenzje!

CZEMU TAK ZADZIWIAJĄCY?

Ale dlaczego? Co było tak niezwykłego i przykuwającego uwagę w nauczaniu Jezusa? Po części chodziło o to, że kiedy ludzie zaczynali rzucać Mu wyzwania i zadawać pytania, Jezus okazał się arcymistrzem wymiany zdań. Nie dawał się złapać w słowne czy intelektualne pułapki, a w istocie zawsze udawało Mu się obrócić ostrze pytania ku temu, kto je sformułował. Co więcej, czynił to w taki sposób, że nie tylko wychodził obronną ręką z potyczki słownej, ale też rzucał duchowe wyzwanie wszystkim, którzy słuchali. Pozwól, że posłużę się przykładem.

Rozdział 22 Ewangelii Mateusza opisuje sytuację, w której Jezus nauczał w świątyni jerozolimskiej i grupa przywódców żydowskich przystąpiła do Niego, aby rzucić mu wyzwanie. Nie było to przypadkowe spotkanie. Przywódcy wszystko ukartowali; cała ta historia rozpoczyna się stwierdzeniem, że faryzeusze chcieli zrobić to publicznie, więc podeszli, kiedy Jezus nauczał w świątyni, prawdopodobnie przepychając się przez tłum, i przerwali Mu. Zaczęli od pochlebstwa. *Nauczycielu* – zaintonowali – *wiemy, że jesteś szczery i drogi Bożej w prawdzie uczysz, i na*

---

[11] Zob. także Mt 13:54, 22:22.23.

nikim ci nie zależy, albowiem nie oglądasz się na osobę ludzką. Widać, do czego zmierzają – próbują zmusić Jezusa do odpowiedzi, sugerując, że jeśli nie odpowie, jest szarlatanem i samozwańcem.

Odpowiednio więc przygotowawszy grunt, zadają Mu pytanie: *Powiedz nam przeto: Jak ci się zdaje? Czy należy płacić podatek cesarzowi, czy nie?*[12] Sformułowanie tego pytania musiało im zająć trochę czasu, jest bowiem wyśmienicie precyzyjne. Zostało tak pomyślane, żeby uniemożliwić Jezusowi obronę i w ten czy inny sposób uciąć Jego wpływ, a może nawet doprowadzić do Jego aresztowania. Oto jak miało zadziałać. W tamtych czasach zdecydowana większość faryzeuszy była zdania (tak też nauczali innych), że okazywanie jakiegokolwiek szacunku i posłuszeństwa obcym rządom, łącznie z płaceniem podatków, jest *grzechem*. Uważali, że z natury stanowi to znieważanie samego Boga. Pomyśl więc: Jak faryzeusze *chcieli*, żeby Jezus odpowiedział na ich pytanie? Czy miał publicznie zgodzić się z nimi, że płacenie podatków jest złe i znieważa Boga, czy może przeciwnie?

W istocie nie zależało im, jak odpowie. Myśleli, że Go mają – jakąkolwiek wybrałby odpowiedź. Gdyby Jezus powiedział: „Tak, trzeba płacić podatki", tłum ogarnęłaby wściekłość i wpływ Jezusa zostałby zdruzgotany. Gdyby natomiast powiedział: „Nie, nie płaćcie podatków", ryzykował gniew Rzymu za publiczne podżeganie do buntu i prawdopodobnie zostałby aresztowany, co również położyłoby kres Jego wpływom. Tak czy inaczej, *tego* właśnie

---

[12] Mt 22:15–17.

chcieli faryzeusze – upadku Jezusa jako siły społecznej. Jednak Jezus uniknął pułapki, odwrócił pytanie i ponownie wprawił ich w zdziwienie.

Pokażcie mi monetę podatkową – powiedział. Podali mu monetę, a Jezus przyjrzał się jej i podniósł ją w górę tak, żeby ludzie z tłumu mogli ją ujrzeć. – *Czyja to podobizna i czyj napis?* – to było łatwe pytanie. – *Cesarza* – słusznie odpowiedzieli. Na monecie widniała podobizna i imię cesarza Tyberiusza. Do niego należała moneta. Miała jego wizerunek, została wybita w jego mennicy i oczywiście Żydzi chętnie używali takich monet dla swoich korzyści. Biorąc to pod uwagę, czemu mieliby nie oddać cesarzowi czegoś, co w oczywisty sposób do niego należało? Toteż Jezus powiedział im: *Oddawajcie więc, co jest cesarskiego, cesarzowi, a co Bożego, Bogu*[13].

Odpowiedź ta wydaje się dosyć prostolinijna, prawda? To moneta cesarza – płaćcie podatki. A jednak Biblia mówi, że kiedy ludzie ją usłyszeli, zdumieli się. Dlaczego? Gdyż Jezus właśnie przedefiniował sposób, w jaki Żydzi powinni myśleć o swoim stosunku do Rzymian, a równocześnie podważył nauczanie faryzeuszy. Jakkolwiek by na to patrzeć, w żaden sposób nie znieważało Boga dawanie cesarzowi tego, co prawnie i faktycznie do niego należało.

W tej wypowiedzi Jezusa można jednak odkryć jeszcze inny poziom głębi, który sprawił, że ludziom z podziwu opadły szczęki. Wróćmy jeszcze do pytania, które Jezus zadał, pokazując tłumowi monetę: *Czyja to podo-*

---

[13] Mt 22:19–21.

bizna? – spytał, a kiedy odpowiedzieli, że cesarza, Jezus potraktował to jako dowód własności. Na monecie wybito podobiznę cesarza, dlatego należała do niego; powinno się oddać cesarzowi to, co jest cesarskie. Lecz – i tu pojawia się niespodziewana puenta – powinniśmy też oddać Bogu to, co jest Boże. Czyli to, co nosi na sobie *Jego* obraz, podobiznę. O co właściwie chodzi?

Oczywiście każdy słuchacz w tłumie w lot pojął, w czym rzecz. Jezus nawiązywał do 1 Księgi Mojżeszowej 1:26–27, gdzie Bóg oznajmił swoje plany dotyczące stworzenia ludzkości słowami: *Uczyńmy człowieka na obraz nasz, podobnego do nas [...]. I stworzył Bóg człowieka na obraz swój. Na obraz Boga stworzył go.* Rozumiesz? Jezus mówił ludziom o czymś znacznie głębszym niż filozofia polityczna. Mówił, że tak jak podobizna cesarza znajduje się na monecie, tak obraz *Boga* jest odzwierciedlony w samym centrum twojego jestestwa. W związku z tym należysz do Niego! Tak, oddajesz w pewien sposób cześć cesarzowi, uznając jego podobiznę i oddając mu z powrotem jego monetę. Jednak nieporównanie większą cześć oddajesz Bogu, kiedy rozpoznajesz w sobie Jego obraz i oddajesz *siebie* – swoje serce, duszę, umysł i siły – Jemu.

Mam nadzieję, że dostrzegasz, co Jezus mówił tu swoim słuchaczom. O wiele istotniejsze od jakiejkolwiek dyskusji o filozofii politycznej czy stosunku jednego narodu do drugiego jest pytanie na temat stosunku każdej istoty ludzkiej do Boga. Jezus nauczał, że wszyscy jesteśmy stworzeni przez Boga. On cię uczynił, stworzył cię na swój obraz i podobieństwo, dlatego należysz do Niego i odpowiadasz przed Nim. Co za tym idzie, powinieneś przekazać Bogu to, co prawnie do Niego należy – ni mniej, ni więcej niż całego siebie.

NIKT NIE CZYNIŁ TAKICH RZECZY

Nic dziwnego, że ludzi zdumiewało nauczanie Jezusa. Za pomocą zaledwie kilku zdań sprawiał, że ziemia osuwała się spod nóg rywali, a równocześnie umiał przedefiniować obowiązującą wówczas teologię polityczną oraz dotrzeć do najbardziej fundamentalnych prawd ludzkiej egzystencji. Już samo nauczanie tego rodzaju wystarczyłoby do przyciągania tłumów!

Były jednak również cuda. Setki osób widziały na własne oczy, jak Jezus czynił rzeczy, których żadna istota ludzka nie byłaby w stanie uczynić. Uzdrawiał ludzi z chorób; w okamgnieniu przemieniał wodę w wyśmienite wino; mówił kalekim, żeby szli; przywracał zdrowe zmysły tym, których już dawno uznano za beznadziejne przypadki obłąkania. A nawet wskrzeszał do życia ludzi, którzy umarli.

Nie możemy zakładać, że ludzie w tamtych czasach byli bezgranicznie naiwni w tych kwestiach. To, że żyli dawno temu, nie oznacza wcale, że byli prymitywni czy głupi. Nie chodzili codziennie to tu, to tam, twierdząc, że widzieli cuda. W istocie, właśnie dlatego w kolejnych fragmentach Biblii spotykamy kolejne osoby, którym na widok tego, co zaszło, otwierały się szeroko oczy ze zdumienia. Byli oni *zaskoczeni*, widząc, jak Jezus dokonuje takich rzeczy! Jeszcze trafniejsze będzie stwierdzenie, że z powodu wielości osób, które próbowały zyskać rozgłos jako religijni guru, ówcześni Żydzi doskonale posiedli umiejętność rozpoznawania szarlatanów i podróbek. Potrafili bezbłędnie przejrzeć iluzję magików, po czym, odchodząc ze śmiechem, kiwali głowami, zostawiając za sobą następnego szarlatana, który próbował sprzedać swoją sztuczkę jako cud. Ostatnią rzeczą, którą można przypisać tamtym ludziom, jest łatwowierność.

Jednak Jezus wprawiał ich w zdumienie. W przeciwieństwie do wszystkich innych, ten człowiek faktycznie był nadzwyczajny. Pozostali wyciągali królika z kapelusza. On leczył setki ludzi, nawet kiedy był fizycznie wyczerpany i potrzebował snu. Wziął dwie ryby z pięcioma chlebami i nakarmił nimi pięć tysięcy osób – które stały się naocznymi świadkami tego zdarzenia. Zatrzymał się przy mężczyźnie, który od wielu lat nie mógł chodzić, i powiedział mu, żeby wstał i zaczął iść – i tak się stało. Stanął na dziobie łodzi i powiedział morzu, żeby umilkło – i tak się stało. Stanął przed grobem człowieka, który był martwy od czterech dni, i wezwał go z powrotem do życia. Martwy usłyszał go, powstał i wyszedł z grobu[14].

Nikt nie czynił takich rzeczy.

Nigdy.

Ludzie byli zdumieni.

---

[14] Mt 8:24–27, 9:6–7, 14:13–21; J 11:43.

WSZYSTKO TO MIAŁO SWÓJ CEL

Ale to jeszcze nie wszystko. Gdyby tylko ktoś zwrócił baczną uwagę, spojrzał dalej, niż sięga cudowność wszystkich tych dzieł, i zadał głębsze pytanie, *dlaczego* Jezus to wszystko robił, ujrzałby, że wszystko to miało swój cel.

Trzeba zauważyć, że z każdym Jego cudem i w każdym kazaniu Jezus składał *poparte czynami* deklaracje na swój temat, na które nie poważyła się wcześniej żadna istota ludzka. Weźmy na przykład najsławniejszą mowę Jezusa, znaną jako Kazanie na górze, opisaną w Ewangelii Mateusza w rozdziałach 5–7. Na pierwszy rzut oka wygląda niemal jak zwykła umoralniająca tyrada w rodzaju „rób to, a tego nie". Nie przysięgaj; nie cudzołóż; nie pożądaj; nie płoń gniewem. Jednak przy bliższym spojrzeniu widać, że porady dotyczące postępowania w żadnym razie nie są tu istotą rzeczy. W rzeczywistości osią Kazania na górze jest śmiałe stwierdzenie Jezusa, że ma prawo *interpretować prawo Starego Testamentu* – mówić, co ono oznacza i jakie jest jego miejsce! Dlatego Jezus w tym kazaniu wielokrotnie używa słów: *Słyszeliście, iż powiedziano [...]. A Ja wam powiadam [...]*[15]. Akcent pada na zaimek osobowy *Ja*. Jezus składa tu radykalną deklarację, że jest prawowitym Prawodawcą Izraela. Co więcej, spójrzmy, *gdzie* o tym mówi: czyni to celowo na szczycie góry, ponieważ, jak każdy Izraelita doskonale pamiętał, wielki Prawodawca (czyli Bóg) nadał prawo starego przymierza ze szczytu góry![16] Rozumiesz? Jezus przypisywał sobie zapierający

---

[15] Mt 5:21–44.
[16] 2Moj 19:16–20.

dech w piersiach autorytet, po który nikt inny nie śmiał sięgnąć.

Z kolei przy grobie Łazarza wypowiedział do Marty, siostry zmarłego, następujące słowa: *Zmartwychwstanie brat twój*. Marta najwyraźniej doceniła to przypomnienie. *Wiem* – odpowiedziała. – *Wiem, że zmartwychwstanie przy zmartwychwstaniu w dniu ostatecznym*. Marta podziękowała w ten sposób za wrażliwość i pocieszenie w tym trudnym czasie. Nie rozumiała jednak, co Jezus miał na myśli. Wystarczająco zdumiewająca byłaby odpowiedź Jezusa: „Chodziło mi o to, że zmartwychwstanie za kilka minut, kiedy mu nakażę". Powiedział jednak coś znacznie potężniejszego: *Jam jest zmartwychwstanie i żywot*[17]. Nie przechodź obok tego obojętnie! Nie stwierdził jedynie, że może dać życie, lecz że jest życiem!

Kim jest człowiek, który mówi takie rzeczy? Kto słyszy z ust swojego przyjaciela słowa podziwu połączonego z lękiem: *Tyś jest Chrystus, Syn Boga żywego* – i odpowiada mu: „Właśnie tak. Sam Bóg ci to powiedział"? Jaki człowiek spytany przez przywódców swojego narodu, czy jest Chrystusem, Synem Boga, odpowiada: *Odtąd ujrzycie Syna Człowieczego siedzącego na prawicy mocy Bożej i przychodzącego na obłokach nieba*[18]?

Z pewnością żaden zwykły człowiek, który chce być uważany za wielkiego nauczyciela, szanowany jako dobra osoba czy zapamiętany jako wpływowy filozof. Nie, ktoś, kto mówi o sobie w taki sposób, twierdzi coś znacznie

---

[17] Zob. J 11:23–25.
[18] Zob. Mt 16:16–17, 26:63–64.

większego, bardziej chwalebnego i niewypowiedzianie głębszego. I właśnie to czynił Jezus, przynajmniej wobec tych, którzy skupiali na Nim swoją uwagę.

Twierdził, że jest Królem Izraela i ludzkości.

3

KRÓL IZRAELA, KRÓL KRÓLÓW

William Szekspir w 1597 roku włożył w usta Henryka IV słowa narzekania na obowiązki króla. „Jak wielu z moich najuboższych poddanych smacznie śpi o tej porze!" – biadoli król[19]. Następnie zastanawia się, czemu sen chętniej mieszka w rozpadających się ruderach biedoty niż w królewskich pałacach i jak może obdarzać odpoczynkiem przemoczonego majtka rzucanego falami morskimi, odmawiając tego przywileju królowi mimo całego przepychu, który go otacza. „Niespokojna jest głowa, na której spoczywa korona" – woła Henryk[20].

Ta scena z dramatu Szekspira jest tak frapująca, ponieważ wyrasta z głębokiej ironii. Uważa się, że królowie powinni mieć wszystko. Są bogaci i potężni, dysponują chroniącymi ich armiami, mieszkają w pięknych pałacach i mają na zawołanie służbę spełniającą każdą ich zachciankę. Któż by tego nie chciał? Jednak jeśli znasz nieco historię, wiesz, że król Henryk miał rację. Codzienność monarchy jest daleka od życia w niczym niezmąconym luksusie i spokoju, często wiąże się z lękiem, obawą, a nawet obłędem. Kiedy już zdobędzie się koronę, trzeba

---

[19] William Szekspir, *Henryk IV*, część 2, akt 3, scena 1.
[20] Tamże.

ją utrzymać – niejeden król zbyt późno zdał sobie sprawę, jak trudne i niebezpieczne to zadanie!

Mimo wszystko prawdopodobnie możemy się zgodzić, że istnieje jeszcze inny rodzaj ludzi – których głowy zaznają jeszcze mniej spokoju niż te koronowane. Chodzi o sytuacje, w których ktoś *twierdzi*, że jest królem, podczas gdy nikt inny tego nie uznaje. Historia nie traktowała zbyt miło ludzi zgłaszających pretensje do korony, której jeszcze nie posiadali. Oczywiście istnieje pewna szansa powodzenia i ostatecznego objęcia tronu, ale całe przedsięwzięcie wiąże się z ogromnym ryzykiem. Jeśli jesteś niedoszłym królem, pretendentem do tronu, któremu się nie udało, nie możesz po prostu powiedzieć „przepraszam" i wrócić do dawnego życia. Z dużo większym prawdopodobieństwem wcześniej zostaniesz pozbawiony głowy, na którą zamierzałeś założyć koronę!

Jednym z czynników sprawiających, że Jezus tak przykuwa naszą uwagę, jest fakt, że mocno ścierał się z przywódcami swoich czasów. Był ubogim cieślą pochodzącym z niewiele znaczącego miasteczka usytuowanego na północy Izraela, który ostatecznie wszedł w spór nie tylko z przywódcami swojego ludu, ale i władzami rzymskimi całego regionu. Już samo to wskazuje, że nie mamy do czynienia z jakimś przywódcą religijnym, autorem kilku przysłów na temat życia i tego, jak przez nie przejść. Nie mamy do czynienia jedynie z filozofem czy mędrcem głoszącym zasady etyczne. Nie, kiedy Jezus w poniżeniu wisiał na rzymskim krzyżu, nad Jego głową widniał opis winy, który miał stanowić bezlitosną drwinę zarówno ze skazańca, jak i z uciśnionego narodu. Można było w nim przeczytać: *Ten jest Jezus, król żydowski*[21].

Historia Jezusa nie jest opowiadaniem o dobrym człowieku. To opowieść o pretendencie do tronu.

TRON IZRAELA – JUŻ NIE PUSTY

Według Biblii Jezus rozpoczął swoją publiczną służbę w dniu, w którym przyjął chrzest w Jordanie z rąk człowieka znanego jako Jan Chrzciciel.

Jan od wielu miesięcy głosił, że ludzie muszą nawrócić się ze swoich grzechów (czyli po prostu zostawić je), ponieważ, jak wskazywał, Królestwo Boże, czyli Boże panowanie na ziemi, *przybliżyło się*[22]. Inaczej mówiąc, wkrótce miał zostać objawiony wybrany przez Boga Król, a ludzie mieli się przygotować na Jego przyjście. Na znak nawrócenia Jan zanurzał ludzi w wodzie, co symbolizowało oczyszczenie z grzechu i niesprawiedliwości. Fakt, że Jezus został ochrzczony w taki właśnie sposób, ma wielkie znaczenie, które rozważymy nieco później. Na razie poprzestaniemy na następującej obserwacji: kiedy Jan Chrzciciel ujrzał idącego ku niemu Jezusa, od razu uwierzył, że to ten, którego nadejście tak długo zwiastował. *To jest Ten, o którym powiedziałem: Za mną idzie mąż, który był przede mną, bo pierwej był niż ja* – powiedział[23].

O co chodziło? Jan wiedział, że na ziemi ma zostać ustanowione Królestwo Boże. Taka był istota jego zwia-

---

[21] Mt 27:37.
[22] Mt 3:2.
[23] J 1:30.

stowania. A teraz wskazywał na Jezusa jako Króla tego Królestwa. Co jeszcze bardziej znaczące, chodziło o coś znacznie więcej niż tylko osobiste przekonanie Jana. Zgodnie ze słowami samego Jezusa Jan był ostatnim z proroków Starego Testamentu, końcem całej linii mężczyzn, których największe zadanie polegało na zwróceniu oczu narodu na jedynego prawdziwego Króla. Bóg miał Go ostatecznie posłać, aby ocalić ludzi od ich grzechu. Teraz Jan ogłasza, że ta chwila nadeszła. Król przyszedł.

Może już wiesz, co stało się później. Biblia mówi, że kiedy Jezus wyszedł z wody po swoim chrzcie, *ujrzał Ducha Bożego, który zstąpił w postaci gołębicy i spoczął na nim. I oto rozległ się głos z nieba: Ten jest Syn mój umiłowany, którego sobie upodobałem*[24]. Znaczenie tego wydarzenia nie ogranicza się do zstępującej gołębicy czy głosu, który – jak wszyscy słusznie zrozumieli – był głosem Boga. Jego znaczenie wykracza nawet ponad to, co powiedział głos. Jak zwykle w Biblii, każde słowo jest tu niezwykle bogate w treść, a czasem wręcz ma wiele warstw treści. Lecz jedna rzecz szczególnie przykuwa uwagę. Słowami „Ten jest Syn mój umiłowany" Bóg obdarzył Jezusa starożytną koroną narodu izraelskiego. Jezus oficjalnie objął urząd króla Żydów.

Skąd to wiemy? Sformułowanie „Syn Boży" było dobrze znanym tytułem króla Izraela od czasów Starego Testamentu. Ma on swoje korzenie w wyjściu Izraela z niewoli w Egipcie. Gdy Bóg usłyszał modlitwy Izraelitów o wyzwolenie z rąk Egipcjan, rzucił wyzwanie faraonowi, mówiąc: *Moim synem pierworodnym jest Izrael. Mó-*

---

[24] Mt 3:16–17.

wię do ciebie: Wypuść syna mojego, aby mi służył[25]. Była to deklaracja gorącej, wyróżniającej miłości wobec ludu Izraela. Oddzielała go i czyniła *innym* od wszystkich pozostałych narodów świata. Bóg ostrzegł faraona, że będzie walczył o Izrael, ponieważ ukochał go jako swojego syna.

Wiele lat później tytuł Bożego Syna został nadany także królowi Izraela. Bóg powiedział o wielkim królu Dawidzie i jego potomkach: *Ja będę mu ojcem, a on będzie mi synem*[26]. Symbolika ta jest istotna: król Izraela jest nazwany Bożym Synem – zupełnie tak jak naród – gdyż *reprezentuje* swoją osobą cały naród. Staje jako jego przedstawiciel, a nawet zastępca, przed Bogiem, zatem to, co dzieje się z królem, dotyczy narodu jako całości. W tym symbolicznym sensie król *jest* Izraelem.

Kiedy to zrozumiesz, dostrzeżesz niezwykłe znaczenie słów, które wypowiedział Bóg podczas chrztu Jezusa. Tak, opisywał relację Ojciec-Syn, która łączyła Go z Jezusem (więcej na ten temat później), ale ogłaszał również, że Jezus oficjalnie podejmuje swoje dzieło reprezentowania Izraela jako jego król. Od tego momentu miał stać przed Bogiem jako zastępca, przedstawiciel, a nawet orędownik swojego ludu.

Jezus zawsze wiedział, że prawnie należy mu się godność Króla. Owszem, często mówił ludziom, żeby zachowywali tę prawdę dla siebie, a raz nawet odmówił obwołania siebie samego królem. Powodem jednak nie był fakt, że odrzucił ten urząd, a raczej to, że wiedział, iż ma być

---

[25] 2Moj 4:22–23.
[26] 2Sm 7:14.

Królem zupełnie innego rodzaju, niż ludzie oczekują i chcą. Miał przyjąć koronę na swoich własnych warunkach, a nie błędnych, rewolucyjnych warunkach ludzi.

W istocie Jezus chętnie akceptował uznawanie Go za króla, *o ile ludzie rzeczywiście zrozumieli, co ogłaszają*. Rozdział 16 Ewangelii Mateusza opisuje rozmowę, w której Jezus, niedługo po kolejnej konfrontacji z przywódcami Izraela, zapytał swoich najbliższych naśladowców, za kogo uważają Go ludzie. Uczniowie podali różne wersje odpowiedzi: *Jedni za Jana Chrzciciela, inni za Eliasza, jeszcze inni za Jeremiasza albo za jednego z proroków* (w. 14). Najwyraźniej Jezus był tak zdumiewający, że ludzie uważali Go za kogoś, kto powstał z martwych! Cokolwiek myśleli ludzie, Jezusa bardziej interesowały opinie uczniów. Zapytał więc: *A wy za kogo mnie uważacie?* (w. 15). Tym pytaniem przyparł ich do muru; pierwszy odezwał się uczeń imieniem Szymon. Odparł: *Tyś jest Chrystus, Syn Boga żywego* (w. 16).

Myślę, że Szymon miał w istocie na myśli więcej niż tylko to, ale co najmniej ogłaszał Jezusa królem Izraela: „Ty jesteś tym namaszczonym – to właśnie po grecku oznacza termin *Chrystus* – Bożym Synem, Królem!". Jak odpowiedział Jezus? Przyjął to wyznanie i pochwalił je! Odrzekł: *Błogosławiony jesteś, Szymonie, synu Jonasza, bo nie ciało i krew objawiły ci to, lecz Ojciec mój, który jest w niebie.* Szymon, któremu Jezus przy tej okazji nadał imię Piotr, zdał sobie sprawę z tego, co Jezus już wiedział na swój temat. Oto prawowierny Król Izraela[27].

---

[27] Mt 16:13–20.

W rozdziale 19 Ewangelii Łukasza znajdujemy opis innego zdarzenia. Zaledwie tydzień przed swoim ukrzyżowaniem Jezus publicznie, w spektakularny sposób zgłosił pretensje do tronu. Wraz z uczniami zdążali do Jerozolimy na doroczne święto Paschy. Najpewniej setki, a nawet tysiące osób spieszyły w tym tygodniu do miasta, gdyż było to najważniejsze święto w kalendarzu żydowskim. Kiedy zbliżali się do celu, Jezus wysłał kilku swoich uczniów przodem do wioski zwanej Betfage i powiedział im, żeby wzięli stamtąd osła, który miał tam na nich czekać. Biblia relacjonuje, że kiedy to uczynili, Jezus dosiadł osła i w ten sposób pokonał krótki dystans dzielący Betfage i Jerozolimę, a towarzyszył Mu wielki tłum.

Gdy zaś zbliżał się już do podnóża Góry Oliwnej, zaczęła cała rzesza uczniów radośnie chwalić Boga wielkim głosem za wszystkie cuda, jakie widzieli, mówiąc: Błogosławiony, który przychodzi jako król w imieniu Pańskim; na niebie pokój i chwała na wysokościach[28].

A wielki tłum ludu rozpościerał swe szaty na drodze, inni zaś obcinali gałązki z drzew i słali na drodze. A rzesze, które go poprzedzały i które za nim podążały, wołały, mówiąc: Hosanna Synowi Dawidowemu! Błogosławiony, który przychodzi w imieniu Pańskim. Hosanna na wysokościach![29]

Wszystko to ma niesamowite znaczenie. Ludzie nie tylko machali gałązkami i kładli na drodze przed Jezusem

---

[28] Łk 19:37–38.
[29] Mt 21:8–9.

płaszcze – co było powszechnym symbolem poddania się władzy królewskiej – ale również otwarcie nazywali Go Królem i potomkiem Dawida! Do tego cytowali starożytną pieśń, którą ludzie witali swojego króla, kiedy wchodził do świątyni, aby złożyć w niej ofiary[30].

Cała ta scena była nader spektakularna i wymowna; w zamyśle Jezusa miała przyciągać uwagę. Słysząc wołanie ludzi i rozpoznając, co mówią, niektórzy faryzeusze byli zgorszeni i zwrócili się do Jezusa: *Nauczycielu, zgrom uczniów swoich*. Rozumiesz, co czynili przywódcy świątynni? Chcieli, by zgodził się z nimi, iż aplauz i ogłaszanie Jezusa królem jest niewłaściwe; chcieli, by wyparł się godności króla. Lecz Jezus tego nie uczynił. Odpowiedział: *Powiadam wam, że jeśli ci będą milczeć, kamienie krzyczeć będą*[31]. Nie mogło być już żadnego opóźnienia. Nadszedł czas, by król przybył do swojej stolicy.

Tron Izraela, nieobsadzony przez jakieś sześćset lat, nie był już pusty.

PRAWDZIWY KRÓL NA PRAWDZIWYM TRONIE Z PRAWDZIWĄ HISTORIĄ

Ciężko nam dzisiaj pojąć znaczenie tamtego wjazdu Jezusa do Jerozolimy. Zakładamy, że ludzie tłoczący się wokół Jezusa odgrywali pewnego rodzaju gorączkową inscenizację religijną, po zakończeniu której wrócił im zdrowy rozsądek i rozeszli się do domów. Jednak ci ludzie nie ogłaszali udawanego, religijnego króla. Proklamowali *praw-*

[30] Ps 118:26.
[31] Łk 19:39–40.

dziwego króla, który miał zasiąść na *prawdziwym* tronie, z *prawdziwą* historią.

Naród izraelski nie zawsze miał króla. Na początku swojej historii, kiedy był niewiele większy niż szeroko pojęta rodzina, na jego czele stali patriarchowie, a później długa linia proroków i sędziów, których Bóg ustanawiał, aby władali ludem i go chronili. W końcu jednak Izraelici poprosili przewodzącego im proroka Samuela, żeby namaścił im króla. Samuel sprzeciwił się i wskazał im zło, które król miał sprowadzić, lecz naród nalegał – i otrzymał króla. Monarchia izraelska osiągnęła szczyt swojej potęgi za panowania króla Dawida, pastuszka pochodzącego z wioski zwanej Betlejem, którego (ku zaskoczeniu wszystkich) Bóg wybrał, by władał Jego ludem. Błogosławiony i prowadzony przez samego Boga, Dawid był świadkiem niezwykłego rozkwitu Izraela, aż objął panowanie około tysięcznego roku przez naszą erą. Zjednoczył pod swoimi rządami dwanaście plemion Izraela, ujarzmił wrogie narody, zdobył Jerozolimę i uczynił ją stolicą swojego królestwa. Co najważniejsze, Bóg obiecał, że utwierdzi dynastię Dawida na zawsze.

Dawid przeszedł do historii jako największy król Izraela – nawet sam urząd zaczęto nazywać „królestwem Dawida" oraz „tronem Dawida". Sam Dawid był uznanym wojownikiem, utalentowanym muzykiem, mędrcem, a nawet poetą. Napisał większą część pieśni zawartych w śpiewniku Izraela – Księdze Psalmów – i po dziś dzień stanowi wzór wiary i sprawiedliwości. Dawid nie był doskonały, wręcz przeciwnie, ale jego serce wypełniała głęboka miłość do Boga, przejmujące poczucie winy i ubóstwa przed Nim oraz mocna ufność, że Bóg okaże Mu swe miłosierdzie i przebaczy grzechy. Biblia odnotowuje nawet, że Bóg ogłosił Dawida człowiekiem *według swego [Bożego] serca*[32].

Kiedy około 970 roku p.n.e. Dawid zmarł, tron po nim objął jego syn, Salomon. Panowanie Salomona pod wieloma względami przewyższało czasy jego ojca, przynajmniej na początku. Izrael znacząco zyskał na bogactwie i znaczeniu, zdawał się doświadczać złotego wieku. Salomon zmarł jednak po czterdziestu latach królowania, a po jego śmierci monarchię izraelską ogarnął chaos. Wojna domowa sprawiła, że naród podzielił się wkrótce na dwa królestwa – Izrael na północy i Judę na południu. W ciągu kolejnych kilku wieków władcy obu krajów popadli w bałwochwalstwo i rażącą niegodziwość. O jednym z królów północy – Achazie – wiadomo, że złożył nawet w ofierze dla pogańskiego bożka swojego syna, spalając go żywcem.

Wobec tego wszystkiego Bóg posyłał proroków, którzy ostrzegali zarówno Izrael, jak i Judę, by odwrócili się od swoich grzechów i zawrócili do Niego. Gdyby tak zrobili, Bóg byłby im przebaczył i odnowił ich jako naród. Gdyby odmówili, miał nadejść sąd i śmierć. Żadne z królestw się nie upamiętało. Dlatego około 700 roku p.n.e. północne królestwo Izraela zostało najechane przez potężne imperium asyryjskie, a ludność uprowadzona do niewoli. Południowe królestwo, Juda, utrzymało się jeszcze przez nieco

---

[32] 1Sm 13:14.

ponad sto lat. Wtedy, w roku 586 p.n.e., nadciągnął Nebukadnesar, władca Babilonu, który zniszczył Jerozolimę z jej świątynią, a ludzi deportował do Babilonu. Jeśli chodzi o króla z linii Dawida, został uprowadzony przez Babilończyków i oślepiony. W jego nozdrzach umieszczono hak i zabrano go również do Babilonu, gdzie do końca życia spożywał posiłki przy stole króla Nebukadnesara. To ostatnie stanowiło oczywiście upokorzenie, nie zaszczyt – oto królewski potomek Dawida został zdegradowany do roli ślepego, zdruzgotanego człowieka, pozostającego na utrzymaniu króla Babilonu.

Po wielu latach, gdy imperium perskie pokonało Babilończyków, następnie Grecy poskromili Persów, a wreszcie Rzymianie połknęli Greków, Izrael nie zdołał ponownie ustanowić niepodległego króla. Pozostawał uciśnionym wasalem innych narodów. Przez sześć stuleci tron Dawida pozostawał nieobsadzony.

Nie oznacza to jednak, że wszelkie nadzieje zostały pogrzebane. Żyły dzięki temu, że przez wszystkie lata katastrofy narodowej, którą był podział, schyłek i upadek Izraela, prorocy nieustannie przepowiadali czas, w którym dynastia Dawida będzie odnowiona. Mówili Izraelitom, że pewnego dnia Bóg pośle Króla, który będzie panował na tronie Dawida w doskonałej prawości i sprawiedliwości. Miał zostać namaszczony Duchem Bożym, miał zwrócić serca ludu do oddawania chwały wyłącznie Bogu i władać na wieki z mądrością, współczuciem i miłością. Jakby tego było mało, Bóg obiecał też, że nie będzie to tylko tron narodu Izraela. Jego autorytet miał się stać *powszechny*, a wszystkie narody ziemi miały spieszyć do Jerozolimy, by uczcić Króla Izraela, Króla królów[33].

Wszystkie te proroctwa musiały wydawać się niedorzeczne, gdy królowie izraelscy jeden po drugim pogrążali się w niegodziwość i spadał na nich Boży sąd. Musiały wydawać się ponurym żartem, kiedy ostatni król z linii dawidowej błagał o miłosierdzie, po czym Babilończycy wyłupili mu oczy. Lecz gdyby ludzie uważnie słuchali proroków, zauważyliby, że opisy obiecanego Króla nie wskazywały na kolejnego człowieka, który objąłby na pewien czas tron, a następnie umarł. Wydawał się kimś znacznie większym. Gdyby tylko się przysłuchali, odkryliby, że ich Bóg nie obiecał tylko, że *pośle* króla Izraelowi, lecz że sam *przyjdzie* i *będzie* ich Królem. Spójrzmy, co prorok Izajasz powiedział o narodzeniu tego wielkiego Króla:

> Albowiem dziecię narodziło się nam, syn jest nam dany i spocznie władza na jego ramieniu.

Nic szczególnego, prawda? To samo można powiedzieć o każdym królu. Czytajmy jednak dalej:

> I nazwą go: Cudowny Doradca, Bóg Mocny, Ojciec Odwieczny, Książę Pokoju. Potężna będzie władza i pokój bez końca na tronie Dawida i w jego królestwie, gdyż utrwali ją i oprze na prawie i sprawiedliwości, odtąd aż na wieki[34].

Teraz widać, że nie mówimy o zwykłym królu. Żaden zwykły król nie panuje *odtąd aż na wieki*, nie rządzi *bez*

---

[33] Zob. np. Iz 9, 11; Mi 5.

[34] Iz 9:5–6.

końca. Żadnego zwykłego króla nie można z ręką na sercu nazwać Cudownym Doradcą, Ojcem Odwiecznym, Księciem Pokoju. A ponad wszystko inne, nikt – król czy ktokolwiek inny – nie może w uzasadniony sposób przypisać sobie tytułu *Bóg Mocny.* Nikt z wyjątkiem... Boga.

SZEROKO OTWARTE OCZY I UMYSŁ POCHŁONIĘTY PODZIWEM

Zawsze wyobrażam sobie, że Szymon Piotr wypowiedział znamienne słowa „Ty jesteś Chrystus, Syn Boga żywego" szeptem, z szeroko otwartymi oczami i umysłem pochłoniętym podziwem. Myślę, że zaczynał wszystko pojmować. Owszem, dawnych królów tytułowano „syn Boży" i wszyscy myśleli, że to po prostu tytuł. Ale tak nie było. To Bóg wskazywał w przyszłość i mówił, że *sam* zamierza objąć tron Dawida. Dokładnie tak, jak zapowiedzieli prorocy – wielki Król będzie „synem Bożym" nie tylko symbolicznie, nie tylko tytularnie, ale *faktycznie.* Sam Bóg miał zostać Królem.

Właśnie z tego zdał sobie sprawę Piotr. Człowiek siedzący przed nim był Królem, Chrystusem, Namaszczonym Izraela i dlatego – zgodnie ze swoim tytułem – „synem Bożym". Jednak był także Synem Boga. Nie tylko królem Izraela, ale i Królem królów.

Piotr zdał sobie sprawę, że ten człowiek jest Bogiem.

4

WIELKI „JA JESTEM"...

Myśl, że Jezus jest Bogiem, nie pojawiła się w głowie Piotra znikąd. Pamiętajmy, że od wielu miesięcy spędzał czas z Jezusem, obserwując, jak dokonywał cudów, leczył ludzi, dla których nie było nadziei na wyleczenie, a nawet wzbudzał z martwych. Już te wydarzenia wystarczały, żeby każdego wprawić w zdumienie. Zdarzały się też jednak sytuacje, od których kręciło się w głowie – kiedy to sama przyroda wydawała się kłaniać Jezusowi i Mu ulegać. Jedna z nich miała miejsce na początku publicznej służby Jezusa. Rozeszły się wieści o człowieku, który potrafi leczyć chorych i wyganiać demony, więc zaczęły się wokół Niego gromadzić nieprzebrane tłumy. Jezus traktował je cierpliwie i życzliwie, długimi godzinami wyganiając demony i uzdrawiając ludzi z ich chorób. Jednak tamtego dnia Jezus był zmęczony. Przez długi czas uzdrawiał i usługiwał na brzegu Jeziora Galilejskiego; widząc kolejny potężny tłum cisnący się ku Niemu, wsiadł z uczniami do łodzi i wypłynęli ku drugiemu brzegowi. Jezioro Galilejskie było Jezusowi i Jego uczniom dobrze znane. Znaczna część nauczającej i uzdrowieńczej służby Jezusa miała miejsce w wioskach rybackich otaczających ten akwen, a niektórzy z jego uczniów – łącznie z Piotrem – pracowali tam jako rybacy, zanim powołał ich Jezus. Jezioro Galilejskie nie jest bardzo rozległe. Choć czasem bywa określane morzem, jest słodkowodnym jeziorem. Ma zaledwie nieco ponad pięćdziesiąt kilometrów obwodu, a jedną z najbardziej charakterystycznych jego cech jest jego położenie – ponad dwieście metrów poniżej poziomu morza. Jezioro otaczają głębokie wąwozy, które sprawiają, że wiatr wieje tam z zawrotną prędkością. Tak więc Jezioro Galilejskie było znane nie tylko z mnóstwa ryb, ale i z gwałtownych sztormów, które często i bez ostrzeżenia nawiedzały jego wody.

Właśnie coś takiego wydarzyło się tamtego dnia, kilka godzin po wypłynięciu Jezusa i Jego uczniów. Gdy kierowali się ku środkowi jeziora i byli już zbyt daleko, żeby zawrócić, rozpętał się sztorm. Najwyraźniej nie był to przeciętny sztorm. Mateusz, jeden z uczniów, który tam był, a sztormy oglądał przez całe swoje życie, nazwał tę nawałnicę *wielką*, tak gwałtowną, że do opisania jej użył słowa *seismos*[35]. Był to więc sztorm jak trzęsienie ziemi na wodzie! Gdy więc wiatr dął wąwozami, uczniowie znaleźli się w niewielkiej łodzi miotanej tam i z powrotem oraz zalewanej przez gigantyczne fale na środku wzburzonego jeziora.

Mężczyźni byli oczywiście śmiertelnie przestraszeni. Nic dziwnego – łódka łatwo mogła się rozbić czy przewrócić i słuch po nich by zaginął. Jezus tymczasem spał z tyłu łodzi. Rzecz jasna, uczniowie pospieszyli do Niego,

---

[35] Mt 8:24.

obudzili Go i powiedzieli: *Panie, ratuj, giniemy!* Tak brzmia-
ły ich słowa przytoczone przez Mateusza. Ewangelista
Łukasz cytuje słowa uczniów: *Mistrzu, Mistrzu, giniemy.*
Relacja Marka dodaje jeszcze całej scenie dramaturgii: *Nauczycielu! Nic cię to nie obchodzi, że giniemy?*[36] Prawdopodobnie padło wówczas *wiele* słów, ale jedno wydaje się jasne:
uczniowie wiedzieli, że mają kłopoty. I chcieli, żeby Jezus
coś z tym zrobił.

Zatrzymajmy się na chwilę. Czyż nie jest ciekawe, że
ze swoim problemem poszli do Jezusa? Czego w zasadzie
od Niego oczekiwali? Nie wydaje mi się, żeby mieli jakiś
plan. Uczniowie byli pod takim wrażeniem Jezusa, że za-
łożyli, iż On może *coś* z tym zrobić. Z drugiej strony nikt
nie powiedział: „Wiecie co? Powinniśmy się uspokoić. Bóg
śpi z tyłu łodzi". Być może oczekiwali, że ochroni ich jakoś przed szalejącym sztormem czy sprawi, że łódź popły-
nie szybciej, ewentualnie przeniesie ją w okamgnieniu na
drugi brzeg. Kto wie? Bez cienia wątpliwości oczekiwali,
że coś zrobi, lecz nawet przez chwilę nie podejrzewali,
że uczyni to, co faktycznie uczynił.

Wracamy do naszej historii. Uczniowie w panice pę-
dzą na tył łodzi, budzą Jezusa, a On robi coś całkowicie
zdumiewającego. Siada, być może przeciera oczy i mówi
do nich: *Czemu jesteście bojaźliwi, małowierni?*[37] Mogę się tylko domyślać, że jeden czy drugi uczeń, a szczególnie Piotr,
miał na końcu języka odpowiedź: „Czemu się boimy? Chyba żartujesz?!" Jednak nikt się nie odezwał. Biblia opisuje,

---

[36] Mt 8:25; Łk 8:24; Mk 4:38.
[37] Mt 8:26.

że Jezus z niesamowitym spokojem wstał, po czym zgromił wiatry i morze: *Umilknij!* – powiedział. – *Ucisz się!*[38]

Cóż za fascynujące słowa! Skarcił je, zupełnie jak ojciec upominający dziecko. Próbowaliście kiedyś skarcić wiatr czy dźwięki burzy? Równie dobrze możesz pójść na brzeg i spróbować debaty z huraganem. Na nic by się to nie zdało, a jednak Biblia mówi, że kiedy Jezus nakazał sztormowi się uspokoić, tak się stało. Marek pisze: *I ustał wicher, i nastała wielka cisza.* Wszyscy uczniowie nie raz już widzieli koniec nawałnicy, nawet nagły, lecz wtedy wyglądało to zupełnie inaczej. Nawet gdy wiatr w jednej chwili milknie, woda pozostaje jeszcze przez pewien czas lekko wzburzona, zanim całkiem się uspokoi. Tym razem jednak wiatr i fale po prostu ustały i ustąpiły miejsca niezwykłej ciszy. Ociekający wodą uczniowie zadziwieni stali w łodzi i ze zdumieniem patrzyli to na siebie nawzajem, to na Jezusa i znowu na siebie. Biblia nie zdradza, kto wreszcie zadał pytanie, ale założę się, że inni przytaknęli albo co najmniej milcząco pokiwali głowami, podzielając jego osłupienie: *Kim więc jest Ten, że i wiatr, i morze są mu posłuszne?*[39]

O WIELE WIĘCEJ NIŻ ZWYKŁY KRÓL

Zastanawiam się, czy Piotr przypomniał sobie te wydarzenia, kiedy odpowiedział na pytanie Jezusa słowami: *Tyś jest Chrystus, Syn Boga żywego*[40]. Niektórzy uważają, że

---

[38] Mk 4:39.
[39] Mk 4:39.41.
[40] Mt 16:16.

wypowiedź Piotra nie oznaczała więcej niż uznanie Jezusa za prawowitego króla Izraela. Uznają to za stwierdzenie polityczne. Nie wydaje mi się jednak, żeby tak było. Oto powód: poprzednio uczniowie nazwali Jezusa Synem Boga dlatego, że uczynił coś zgoła odmiennego, co wyniosło Go daleko ponad pozycję króla. Co więcej, była to sytuacja, którą szczególnie zapamiętał Piotr.

Jej okoliczności bardzo przypominały tamtą noc, kiedy Jezus uciszył sztorm. Uczniowie płynęli łodzią na drugą stronę jeziora i, tak jak ostatnim razem, zerwała się wichura, a fale raz po raz uderzały w łódź. Cała sytuacja byłaby łudząco podobna do poprzedniej, gdyby nie jeden istotny fakt: tym razem Jezusa nie było z nimi.

Tamtego dnia Jezus dopiero co nakarmił ponad pięć tysięcy osób dwoma rybami i pięcioma chlebami, po czym posłał swoich uczniów przodem na drugą stronę Jeziora Galilejskiego. Być może podejrzewali, że wypożyczy inną łódź lub uda się naokoło jeziora lądem. Tak czy inaczej, wypłynęli w kierunku drugiego brzegu, a Jezus został na lądzie, zakończył usługiwanie tłumom i udał się na szczyt pobliskiej góry, żeby się modlić.

W tym samym czasie uczniowie na wodzie przeżywali ciężką noc. Łódź ledwo się trzymała, wiatr i fale szalały, a oni byli przestraszeni. Biblia mówi, że był czas czwartej straży nocnej – między godziną trzecią a szóstą nad ranem – kiedy dostrzegli jakąś postać *idącą w ich stronę po wodzie*! Oczywiście ich lęk przerodził się w przerażenie i wykrzyknęli: „To duch!"

To, co nastąpiło później, jest jednym z najlepiej znanych wydarzeń z życia Jezusa, a zarazem jednym z tych o najistotniejszej wymowie. Słysząc krzyk uczniów, Jezus zawołał do nich: *Ufajcie, Ja jestem, nie bójcie się!* Zatrzymajmy się i rozważmy to zdanie jeszcze raz, ponieważ w tych kilku słowach Piotr najwyraźniej usłyszał coś, co zdobyło jego ufność. Wychylając się z łodzi, wykrzyknął: *Panie, jeśli to Ty jesteś, każ mi przyjść do siebie po wodzie.* Cóż za zadziwiająca prośba! Można się zastanawiać, czy inni uczniowie nie spojrzeli na Piotra, jakby postradał zmysły! Jednak z Piotrem wszystko było w porządku. W dopiero co wypowiedzianych słowach Jezusa było coś, co Piotr nagle pojął i miał zamiar teraz wypróbować. Jezus musiał znać myśli Piotra, gdyż skierował do niego zaproszenie: *Przyjdź*. Wtedy Piotr wyszedł z łodzi, stanął na wodzie i zrobił pierwszy krok, a następnie kolejne. Biblia nie mówi, jak daleko szedł, ale zanim doszedł do Jezusa, zauważył przeciwny wiatr i poczuł wodę chlupoczącą pod nogami. Gdy spuścił wzrok z Jezusa, ogarnęło go przerażenie i zaczął tonąć. Zawołał do Jezusa, żeby ten go ratował i, jak mówi Biblia, Jezus natychmiast wyciągnął rękę, uchwycił Piotra i wziął go z powrotem do łodzi. Tym razem Jezus nie musiał nawet głośno wydawać polecenia – kiedy z Piotrem wsiedli do łodzi, sztorm ustał.

Jak mówi Mateusz, *ci, którzy byli w łodzi, złożyli mu pokłon, mówiąc: Zaprawdę, Ty jesteś Synem Bożym*[41].

Co mieli na myśli, nazywając Go Synem Bożym? Czy uważali Go za prawowitego króla Izraela? Czy obdarzyli

---

[41] Mt 14:26–33.

Go tytułem królewskim, którego używały już dziesiątki innych osób przed Nim? W żadnym wypadku! Uczniowie dopiero co widzieli, że ten człowiek chodził po wodzie, wywołał z łodzi jednego z nich, żeby zrobił to samo, a następnie bez słowa uciszył sztorm. Pomyślmy jeszcze raz, co popchnęło Piotra do opuszczenia łodzi. Co takiego usłyszał w słowach Jezusa „Ufajcie, Ja jestem", że nie odpowiedział po prostu: „W porządku, to Jezus, przestańmy panikować", ale stanął na wodzie? Czemu nagle pojawiła się w nim wiara, że Jezus sprawuje *absolutną* kontrolę nad całą sytuacją?

Odpowiedź brzmi następująco: w stwierdzeniu „Ja jestem" musimy dostrzec szerszy kontekst. Jezus nie powiedział „Hop, hop! To ja, Jezus!", ale przypisał sobie stare, dobrze znane imię wszechmocnego Boga Izraela.

Przenosi nas to do czasów uwolnienia Izraela z Egiptu. Zabawnym wątkiem tej historii jest rozmowa, w której Mojżesz przekonuje Boga, że nie nadaje się do wyznaczonego mu zadania. Próbuje kilku wymówek – nie jestem wystarczająco ważny, nie uwierzą mi, nie jestem dobrym mówcą – i za każdym razem Bóg mu odpowiada, wytrącając z ręki argument. Jedno z pytań Mojżesza brzmiało: Co powiem ludziom, kiedy mnie spytają, jakie jest imię Boga? Odpowiedź Boga w głęboki sposób ukazała Jego naturę: *A Bóg rzekł do Mojżesza: Jestem, który jestem. I dodał: Tak powiesz do synów izraelskich: Jahwe posłał mnie do was!*[42] W ten sposób Bóg objawił się jako transcendentny, wszechwładny Bóg wszechświata; Źródło wszystkiego, co istnieje; Autor

---

[42] 2Moj 3:14.

stworzenia, Stwórca i Władca kosmosu; Ten, który zawsze był, jest teraz i zawsze będzie – wielki „Ja jestem".

To właśnie usłyszał Piotr i to dodało mu pewności. Jezus przypisywał sobie imię Boga i czynił to, *idąc po wzburzonej wodzie*. Morze było uważane za najpotężniejszą i najstraszniejszą siłę natury, odwieczny symbol chaosu i zła, mityczny dom konkurujących ze sobą bóstw. A oto Jezus je ujarzmiał, zwyciężał, władał nim, dosłownie umieszczając je pod swoimi stopami. Jak mówiła dawna pieśń: *Nad szum wielkich wód, nad potężne fale morskie, mocniejszy jest Pan na wysokości*[43].

Czy rozumiesz? Kiedy uczniowie nazwali Jezusa Synem Bożym, ogłosili Go kimś znacznie większym niż zwykłym królem. Wskazali, że jest Bogiem, wielkim „Ja jestem".

CZŁOWIEK TWIERDZĄCY, ŻE JEST BOGIEM

Czasem ludzie twierdzą, że koncepcja Jezusa-Boga była zaledwie wytworem wyobraźni uczniów, że Jezus nigdy nie przypisywał sobie boskości, a po Jego śmierci uczniowie po prostu wymyślili całą historię lub, w najlepszym razie, opacznie zinterpretowali swoje wspomnienia minionych wydarzeń. Nie trzeba jednak bardzo wnikliwie czytać Biblii, żeby ujrzeć, że w istocie Jezus wielokrotnie twierdził, że jest Bogiem, a niekiedy mówił o tym wprost.

Powiedział na przykład przy pewnej okazji: *Ja i Ojciec jedno jesteśmy.* Innym razem, kiedy Filip, który nie dostrze-

---
[43] Ps 93:4.

gał istoty rzeczy, stawał się trochę niecierpliwy i poprosił: *Panie, pokaż nam Ojca*, Jezus odparł: *Tak długo jestem z wami i nie poznałeś mnie, Filipie? Kto mnie widział, widział Ojca; jak możesz mówić: Pokaż nam Ojca?* Pod koniec zaś swojego procesu odpowiedział żydowskim przywódcom: *Odtąd ujrzycie Syna Człowieczego siedzącego na prawicy mocy Bożej i przychodzącego na obłokach nieba.* Arcykapłan od razu zrozumiał wagę deklaracji Jezusa. Dlatego rozdarł szaty i oskarżył Go o bluźnierstwo. Stał przed nim człowiek, który twierdził, że jest Bogiem[44].

Przy innej okazji złożył tak ważką deklarację na temat swojej tożsamości, że przywódcy dosłownie schylili się po kamienie, chcąc Go zabić. Biblia opisuje tę scenę jako na tyle poważną, że Jezus musiał się ukryć, żeby ujść z życiem. Wszystko zaczęło się od tego, że faryzeusze podeszli i zaczęli obrzucać Jezusa niewybrednymi epitetami. *Czyż nie mówimy słusznie, że jesteś Samarytaninem i masz demona?* – powiedzieli. To był chwyt poniżej pasa, coś w rodzaju stwierdzenia, że nie tylko jest opętany, ale i pochodzi z Waszyngtonu (żartuję). Tak czy inaczej, Jezus odpowiedział: *Ja nie mam demona, ale czczę Ojca mego, a wy mnie znieważacie [...]. Zaprawdę, zaprawdę powiadam wam, jeśli kto zachowa słowo moje, śmierci nie ujrzy na wieki.* Zgorszeni przywódcy oskarżyli Jezusa o niebotyczną arogancję: *Teraz wiemy, że masz demona. Abraham umarł i prorocy, a Ty mówisz: Jeśli kto zachowa słowo moje, śmierci nie zazna na wieki. Czyś Ty większy od ojca naszego, Abrahama, który umarł? Także prorocy umarli. Za kogo się uważasz?*[45]

---

[44] J 10:30, 14:8–9; Mt 26:64.
[45] J 8:48–53.

Jezus odparł: *Abraham, ojciec wasz, cieszył się, że miał oglądać dzień mój, i oglądał, i radował się.* Inaczej mówiąc, Abraham wiedział, że Bóg obiecał posłać Zbawiciela, i oczekiwał tego z radością. Stwierdzenie Jezusa, że Abraham wiedział o Nim, a co więcej, że Jezus zna jego odczucia, wprawiło przywódców żydowskich w jeszcze większe zdumienie i oburzenie. Tego było dla nich za wiele: *Pięćdziesięciu lat jeszcze nie masz, a Abrahama widziałeś?*

Odpowiedź Jezusa wstrząsnęła nimi. Powiedział: *Zaprawdę, zaprawdę powiadam wam, pierwej niż Abraham był, Jam jest*[46].

Ponownie pojawia się to imię, a Jezus użył go celowo i w konfrontacyjny sposób. Skąd to wiemy? Ponieważ w przeciwnym razie Jego wypowiedź byłaby kiepska gramatycznie. Gdyby Jezus zamierzał powiedzieć, że w pewien sposób istniał przed Abrahamem, stwierdziłby: „Pierwej niż Abraham był, *Ja byłem*". Jednak posługując się czasem teraźniejszym – *Jam jest* – Jezus ponownie przypisywał sobie wyjątkowe i wyłączne imię Boga. Dlatego sięgnęli po kamienie, żeby go zabić. Jeśli faktycznie nie był Bogiem, a tak uważali, dopuścił się najgorszego z możliwych bluźnierstw.

TWARZĄ W TWARZ Z TRÓJCĄ

Oczywiście nie było to bluźnierstwo. Jezus mówił prawdę i raz za razem potwierdzał swoje deklaracje boskości. Zrozumienie tego pozwala nam dostrzegać nowe pokłady znaczenia w nieugiętych stwierdzeniach Jezusa, że jest

---

[46] J 8:56–58.

Synem Bożym. Nie był to jedynie tytuł królewski, ale deklaracja, że Jezus jest co do pozycji, natury i chwały równy Bogu. Jan wyjaśnia: *Dlatego też Żydzi tym usilniej starali się o to, aby go zabić, bo [...] Boga nazywał własnym Ojcem, i siebie czynił równym Bogu*[47].

Sformułowanie to oznacza, że Jezus nie tylko używał w odniesieniu do siebie tytułu królewskiego i twierdził, że jest równy Bogu, ale także opisywał wyjątkową i wyłączną *więź*, jaka łączyła Go z Bogiem Ojcem. Powiedział kiedyś: *nikt nie zna Syna tylko Ojciec, i nikt nie zna Ojca, tylko Syn i ten, komu Syn zechce objawić*[48]. Przy innej okazji tłumaczył:

> *Zaprawdę, zaprawdę, powiadam wam, nie może Syn sam od siebie nic czynić, tylko to, co widzi, że Ojciec czyni; co bowiem On czyni, to samo i Syn czyni. Ojciec bowiem miłuje Syna i ukazuje mu wszystko, co sam czyni [...]. Albowiem jak Ojciec wzbudza z martwych i ożywia, tak i Syn ożywia tych, których chce. Bo i Ojciec nikogo nie sądzi, lecz wszelki sąd przekazał Synowi, aby wszyscy czcili Syna, jak czczą Ojca. Kto nie czci Syna, ten nie czci Ojca, który go posłał*[49].

Rozumiesz? Jezus, Boży Syn, twierdził, że jest samym Bogiem, ale równocześnie pozostaje w szczególnej, wyłącznej i doskonale harmonijnej relacji z Bogiem Ojcem.

Jak to możliwe?

Jak Jezus może *być* Bogiem, a w tym samym czasie pozostawać *w relacji* z Bogiem Ojcem? Tu stykamy się z chrze-

---

[47] J 5:18.
[48] Mt 11:27.
[49] J 5:19–23.

ścijańską nauką o Trójcy (Trójjedyności Boga), która próbuje wyrazić koncepcję potrójnej jedności. Chrześcijanie twierdzą, że Bóg Ojciec, Bóg Syn i Bóg Duch Święty są różni od siebie jako trzy odrębne osoby, a jednak są jednym Bogiem. Nie trzema Bogami! Bynajmniej. Od samego początku Biblia jasno twierdzi, że jest tylko jeden Bóg, ale ten jedyny Bóg istnieje w trzech odrębnych osobach.

Mam nadzieję, że widzisz, iż chrześcijanie nie wzięli idei Trójcy z kapelusza. Zdefiniowali ją i opisali, nauczali jej i bronili, *gdyż widzieli ją w Biblii*. Usłyszeli ją w słowach Jezusa o sobie samym, o swojej relacji z Ojcem i o Duchu Świętym. Oto krótkie podsumowanie tego, czego dowiedzieli się z wypowiedzi Jezusa:

1. Jezus potwierdził, że istnieje tylko *jeden* Bóg[50].

2. Jezus wskazał, że jest Bogiem, Jego Ojciec jest Bogiem, a później również że Duch Święty jest Bogiem[51].

3. Jezus wyjaśnił, że On sam, Jego Ojciec i Duch *nie są* tą samą osobą, ale odrębnymi osobami, które łączy szczególna, jedyna w swoim rodzaju więź[52].

Możesz spojrzeć na te trzy stwierdzenia i powiedzieć: „Nie rozumiem, jak można je ze sobą pogodzić". Cóż, jeśli mam być całkiem szczery, ja też nie! Ani żaden inny chrześcijanin. Jednak nie chodzi tu o moje zrozumienie lub jego brak. Jako chrześcijanin ufam Jezusowi, a On na-

---

[50] Np. Mk 12:29.
[51] Np. J 5:18, 8:58; Łk 12:10.
[52] Zwróć uwagę na więź, np. w J 14:16–17.

uczał wszystkich tych trzech rzeczy, więc w nie wierzę. Wierzę we wszystkie te prawdy równocześnie, nawet jeśli mój umysł nie potrafi ich pojąć.

Sednem sprawy jest to, że te trzy stwierdzenia nie zawierają logicznej sprzeczności, a poza tym doskonale uświadamiam sobie, że mój umysł nie jest nieskończony. Istnieje wiele kwestii na tym świecie, których nie rozumiem, więc nietrudno mi sobie wyobrazić, że jest nieskończenie wiele rzeczy, które Bóg obejmuje swoim nieskończonym umysłem, a których mój umysł nie pojmuje. Wiem natomiast z pewnością, że Jezus nauczał, iż jest jeden Bóg; On sam, Jego Ojciec i Duch Święty są Bogiem i łączy ich wzajemna więź. Wraz z innymi chrześcijanami na przestrzeni wieków nazywam tę złożoną rzeczywistość Trójcą lub Trójjedynym Bogiem.

JEDYNY SPOSÓB

Oto wniosek: kiedy dociera do ciebie, że Jezus jest faktycznie Bogiem i łączy Go wyjątkowa, niepowtarzalna więź z Bogiem Ojcem, zaczynasz także dostrzegać, że jeśli chcesz poznać Boga, który cię stworzył, musisz poznać Jezusa. Nie ma innego sposobu.

Dlatego tak wspaniałą nowiną jest to, że Jezus to nie tylko wielki „Ja jestem". Pozostaje On również w pełni i na zawsze *jednym z nas*.

5

...JEST JEDNYM Z NAS

Na wczesnym etapie historii chrześcijaństwa pewna grupa ludzi zaprzeczała, że Jezus był prawdziwie człowiekiem. Według nich dowody na Jego boskość są tak silne, że nie mógł być też człowiekiem. Być może był Bogiem powleczonym skórą lub kimś pomiędzy Bogiem a człowiekiem, ale w żadnym razie nie mógł naprawdę być *jednym z nas*. Nurt ten jest znany jako *doketyzm*; określenie to pochodzi od greckiego słowa *doke*, które oznacza „zdawać się", i odwołuje się do poglądu, że Jezus nie był faktycznie człowiekiem, a jedynie *zdawał się* nim być.

Inni chrześcijanie szybko zorientowali się, że doketyzm jest w błędzie. Czytali Biblię i zrozumieli, że nie jest prawdą, jakoby Jezus *sprawiał wrażenie* człowieka, a faktycznie był iluzją czy duchem, lub jakoby Bóg jedynie przyjął *wygląd* ludzki, ale nie rzeczywistość człowieczeństwa. Nie. Jeśli wierzyć Biblii, Jezus *był* pod każdym względem człowiekiem. Ci chrześcijanie w żaden sposób nie negowali Jego boskości. Byli przekonani, że Jezus jest Synem Bożym, Stwórcą świata, wielkim „Ja jestem". Ale byli również pewni, że w cudowny sposób wielki „Ja jestem" stał się jednym z nas.

NIE TYLKO GOŚĆ

Historie życia Jezusa są pełne dowodów, że był On człowiekiem, jak my. Biblia mówi, że odczuwał głód, pragnienie, zmęczenie, a nawet potrzebę snu (pamiętasz drzemkę w łodzi?). Nie był podobny do „bogów" greckich czy rzymskich, mieszkańców Olimpu, którzy niekiedy przyjmowali ludzką postać, ale nigdy faktycznie *nie byli* ludźmi, nie znali wyzwań i słabości związanych z ludzką kondycją. Jezus był prawdziwym człowiekiem i musiał stawić czoła tym samym rzeczom co ty i ja.

Oznacza to, że kiedy nie zjadł odpowiedniego posiłku, robił się głodny. Kiedy się nie wyspał, był zmęczony. Kiedy żołnierze wbili ciernie w skórę Jego głowy i przebili nadgarstki gwoździami, bolało. Kiedy umarł Jego przyjaciel, pogrążył się w smutku i zapłakał, chociaż za kilka minut zamierzał przywrócić go do życia! A nawet tracił siły. Biblia mówi, że kiedy Rzymianie ubiczowali Jezusa, musieli nakazać mężczyźnie, który przyglądał się wydarzeniom, aby zaniósł krzyż Jezusa na miejsce egzekucji. Aż wreszcie najbardziej wymowny dowód ze wszystkich: Jezus umarł. Nie było tak, że *wydawał się* umarły, na wpół umarł, dotknęło go *coś w rodzaju* śmierci czy *w pewnym sensie* umarł. Co prawda opowieść nie kończy się na śmierci Jezusa, ale nie można pominąć faktu, że umarł[53].

Zrozumienie, że Jezus był prawdziwym człowiekiem, jest niezwykle istotne. Fakt ten oznacza bowiem, że nie był na naszym świecie tylko gościem. Choć sama w sobie

---

[53] Mt 4:2, 8:24, 27:50; J 19:2, 11:35, 19:33.

wizyta kogoś tak wielkiego byłaby bardzo interesująca, wydarzyło się coś innego. To, co stało się naprawdę, jest nieskończenie cudowniejsze. Bóg Stwórca, potężny „Ja jestem" stał się człowiekiem.

Chrześcijanie nazywają to niesamowite zdarzenie *wcieleniem* – w Jezusie Bóg przyjął ludzkie ciało. Musimy być jednak ostrożni, gdyż określenie to może być nieco mylące. Opacznie rozumiane może sugerować, że człowieczeństwo Jezusa było tylko kwestią zewnętrznej powłoki – że Bóg przywdział ludzką postać, tak jak my zakładamy płaszcz, i na tym polegało Jego człowieczeństwo. Takie ujęcie zbliżyłoby nas jednak do błędu doketyzmu, koncepcji głoszącej, że Jezus tylko *wydawał się* człowiekiem. Bez względu na to, co o tym myślisz, z pewnością możemy się zgodzić, że istotą człowieczeństwa nie jest zewnętrzna powłoka; sięga ono daleko głębiej. Biblia zaś stwierdza, że Jezus był człowiekiem do głębi swojego jestestwa, pod każdym względem. Dlatego chrześcijanie przez wieki zgodnie opisywali Jezusa jako „w pełni Boga i w pełni człowieka". Nie jest po części Bogiem, a po części człowiekiem, nie jest mieszaniną Boga i człowieka, nie jest kimś między Bogiem a człowiekiem.

Jest Bogiem.

Jest także człowiekiem.

Istotna uwaga: nie był to tylko stan tymczasowy. Jezus jest teraz człowiekiem i nigdy nie przestanie nim być – stał się człowiekiem na zawsze. Kilka lat temu jadłem śniadanie z przyjacielem i ta prawda uderzyła mnie w trakcie ożywionej rozmowy o innych formach życia, czyli obcych (proszę o chwilę cierpliwości). Przez dłuższą chwilę dysku-towaliśmy, czy mogą istnieć we wszechświecie inteligent-ne istoty pozaziemskie, czy Biblia cokolwiek na ten temat mówi, co znaczyłoby ich istnienie – i wtedy padło następujące pytanie: jeśli obcy istnieją i jeśli są grzesznikami, jak my, czy Bóg mógłby ich zbawić i jak by to zrobił?

Natychmiast udzieliłem odpowiedzi: „Oczywiście, że mógłby! Jezus wcieliłby się w Marsjanina, umarłby również za grzechy Marsjan i sprawa byłaby załatwiona. Potem mógłby pomyśleć o Klingonach". Ta odpowiedź wydawała mi się wówczas sensowna. Ciekawe, czy dostrzegasz już, co z nią jest nie tak. Mój przyjaciel pokręcił głową i powiedział: „Nie, Greg. Jezus jest człowiekiem. Zawsze i na zawsze. Nigdy nie stanie się nikim innym". Przyznam, że wcześniej nie pomyślałem o tym w taki sposób.

JEDNYM SŁOWEM – KOCHAŁ

Była to z pewnością oryginalna i nieco dziwna rozmowa, ale płynący z niej wniosek mnie zadziwił: Jezus jest człowiekiem i *zawsze nim będzie*. Obecnie, zasiadając na tronie wszechświata, jest istotą ludzką. Kiedy osądzi cały świat, także będzie człowiekiem. Przez całą wieczność Bóg jest człowiekiem i zawsze już tak pozostanie. On nie przyjął po prostu ludzkiej powłoki jak płaszcza tylko po to, żeby ją ściągnąć po powrocie do domu w niebie. Stał się człowiekiem – istotą obdarzoną sercem, duszą, umysłem i siłą!

Wyobraź sobie przez chwilę, jak bardzo Syn Boży musiał ukochać ludzi, żeby zdecydować, że na zawsze stanie się człowiekiem. Istniał odwiecznie jako druga osoba Trójcy w pięknej, doskonałej i harmonijnej więzi z Bogiem Ojcem i Duchem Świętym, a jednak postanowił stać się człowiekiem i wiedział, że na zawsze nim pozostanie. Tylko jedno doprowadziło Syna Bożego do takiego kroku: głęboko nas ukochał i widać to w każdym szczególe Jego życia.

Autorzy Biblii opisują wiele sytuacji, w których Jezus był poruszony współczuciem dla otaczających Go ludzi. Ewangelista Mateusz wspomina, że w pewnym miejscu Jezus pozostał przez długi czas, uzdrawiając ludzi, bo był pełen współczucia dla nich. Nauczał ludzi, jak mówi Marek, bo ogarnęło Go współczucie dla nich. Kiedy spojrzał na tłum czterech tysięcy osób, które od dawna nie jadły porządnego posiłku, powiedział swoim uczniom: *Żal mi tego ludu; albowiem już trzy dni są ze mną i nie mają co jeść, a Ja nie chcę ich odprawić głodnych, aby czasem w drodze nie zasłabli.* Kiedy zszedł na brzeg i przywitał Go tłum chętnych, żeby ich uczył, *ujrzał mnóstwo ludu i ulitował się nad nimi, że byli jak owce nie mające pasterza, i począł ich uczyć wielu rzeczy*[54].

Pewnego razu przyszedł na pogrzeb młodego człowieka – jedynego syna wdowy, która nie miała się już z czego utrzymać. Oto co się stało: *A gdy ją Pan zobaczył, użalił się nad nią i rzekł do niej: Nie płacz. I podszedłszy, dotknął się noszy, a ci, którzy je nieśli, stanęli. I rzekł: Młodzieńcze, tobie mówię: Wstań. I podniósł się zmarły, i zaczął mówić. I oddał go jego matce*[55].

---

[54] Mt 15:32; Mk 6:34; zob. Mt 6:34, 14:1.
[55] Łk 7:13–15.

Kiedy przybył do domu swojego przyjaciela Łazarza i ujrzał płaczącą siostrę zmarłego, *rozrzewnił się w duchu i wzruszył się.* Zapytał: *Gdzie go położyliście?* – więc zaprowadzili Go do grobu. Biblia mówi, że właśnie tam, przed grobem przyjaciela, Jezus zapłakał. Dla wszystkich było jasne, że dał w ten sposób wyraz uczuciu żalu i miłości. Zgromadzeni Żydzi potrząsali głowami i mówili: *Patrz, jak go miłował*[56].

Czy widzisz, jaką osobą był Jezus? Nie był twardym, wyrachowanym człowiekiem, który często rościł sobie pretensje do boskości i tronu. Wręcz przeciwnie, Jego serce wypełniała głęboka miłość do ludzi wokół. Lubił spędzać czas z wyrzutkami społeczeństwa, jedząc z nimi, a nawet chodząc na ich przyjęcia, powiedział bowiem: *Nie potrzebują zdrowi lekarza, lecz ci, co się źle mają. Nie przyszedłem wzywać do upamiętania sprawiedliwych, lecz grzesznych*[57]. Brał na ręce małe dzieci, przytulał je i błogosławił, a nawet zganił uczniów, którzy próbowali trzymać dzieci z daleka od zmęczonego Mistrza. Obejmował swoich uczniów, mówił kawały, wymawiał czule imiona, zachęcał, przebaczał, umacniał, uspokajał i odnawiał. Jednym słowem – *kochał.*

Dostrzegasz to? Nawet kiedy dokonywał nadzwyczajnych rzeczy – takich, które mógł uczynić tylko Bóg – robił je z głęboką ludzką wrażliwością, współczuciem i miłością. Jezus nie tylko *był* człowiekiem, ale też pokazał nam w pełni, jaka miała być ludzkość w Bożym zamyśle.

---

[56] J 11:33–36.
[57] Łk 5:31–32.

DLACZEGO BÓG SYN STAŁ SIĘ CZŁOWIEKIEM?
BO TEGO POTRZEBOWALIŚMY

Mimo wszystko musimy zdać sobie sprawę, że Jezus nie przyszedł *tylko* po to, by ukazać nam oblicze prawdziwego, zamierzonego przez Boga człowieczeństwa. Nie, Jezus stał się człowiekiem, ponieważ tego *potrzebowaliśmy*. Potrzebowaliśmy kogoś, kto mógłby reprezentować nas przed Bogiem i stać się naszym zastępcą. Po to ostatecznie przyszedł Jezus – aby być kochającym, walecznym Królem, który ocali swój ukochany lud.

Zatem jednym z aspektów człowieczeństwa Jezusa było *utożsamienie* się z nami. Stał się taki jak my, żeby móc nas reprezentować. Dlatego u progu swojej publicznej służby nalegał, aby Jan Chrzciciel Go ochrzcił. Na początku Jan miał obiekcje, bo wiedział, że udzielany przez niego chrzest jest oznaką upamiętania – dotyczy grzeszników, którzy postanowili odwrócić się od swoich grzechów – i wiedział również, że Jezus jako bezgrzeszny Boży Syn go nie potrzebuje. Jezus nie zganił Jana za jego opór; równie dobrze jak on zdawał sobie sprawę, że nie ma z czego się nawracać. Był jednak inny powód, dla którego chciał przyjąć chrzest, więc powiedział Janowi: *Ustąp teraz, albowiem godzi się nam wypełnić wszelką sprawiedliwość*[58]. Innymi słowy, Jezus mówił: „Masz całkowitą rację, Janie. Nie potrzebuję chrztu na upamiętanie, ale mam w tym inny cel, więc w ten sposób powinniśmy teraz postąpić". Jezus został ochrzczony nie dlatego, że musiał upamiętać się z jakiegoś grzechu, ale żeby ukazać swoje całkowite utoż-

---

[58] Mt 3:15.

samienie się z grzesznymi ludźmi. Przyszedł do nas tam, gdzie byliśmy. Zajął miejsce wśród nas i związał się na dobre i na złe z grzesznymi ludźmi.

Pamiętasz, co stało się później, prawda? Z nieba rozległ się głos stwierdzający, że Jezus jest *wiecznym* Synem Bożym, i określający Go mianem *królewskiego* Syna Bożego, Króla Izraela. Oczywiście słowa pochodzące z nieba mają jeszcze głębszy wymiar, ale teraz wystarczy zauważyć, że *taki* właśnie był powód, dla którego Jezus uznał za słuszne ochrzcić się z gromadą grzeszników: przyjmował na siebie rolę ich zastępcy, Króla, a nawet orędownika.

POCZĄTEK BITWY

W Ewangelii Marka czytamy: *I zaraz powiódł go Duch na pustynię. I był na pustyni czterdzieści dni, kuszony przez szatana*[59]. Taki był kolejny krok, wynikający z poprzednich. Przyjąwszy tytuł króla i nieodwołalnie utożsamiwszy się z grzesznikami, Król Jezus podjął o nich walkę. W tym toczącym się od wieków konflikcie stanął po stronie przegranych, aby dla nich zwyciężyć. Udał się więc na pustkowie, by stawić czoła śmiertelnemu wrogowi swojego ludu. I tak się zaczyna bitwa, która będzie trwała do końca historii – pomiędzy szatanem, wielkim oskarżycielem, a Jezusem, wielkim Królem.

Nawet z pozoru nieistotne szczegóły tego wydarzenia pokazują nam, że Król Jezus toczył tę samą bitwę, którą Jego lud, Izrael, już przegrał. Pomyśl o tym, że kuszenie

---

[59] Mk 1:12–13.

miało miejsce na pustyni, a całe pokolenie Izraela wędrowało właśnie przez pustynię, ponosząc druzgocące klęski. Czterdzieści dni postu? Przez czterdzieści lat Izrael przemierzał pustynię, więc Jezus wytrzymał bez pokarmu również czterdzieści dni, licząc symbolicznie dzień za rok. Jezus, przyjąwszy koronę, wyraźnie stanął do walki w imieniu swojego ludu.

Mateusz pisze o kuszeniu Jezusa przez szatana najszerzej spośród ewangelistów. Była to jedna z najbardziej dramatycznych sytuacji w życiu Jezusa. Szatan trzykrotnie próbował Go podejść – intensywność tej sceny sięga stratosfery. Nawet szczegóły topograficzne zdają się na to wskazywać. Pierwsze kuszenie odbywa się na pustyni, drugie na szczycie świątyni, zaś ostatnie na szczycie bardzo wysokiej góry. To tak, jakby geograficzny poziom starcia wzrastał wraz z jego natężeniem.

Pierwsza pokusa nie wydaje się jakąś poważną próbą. Szatan powiedział: *Jeżeli jesteś Synem Bożym, powiedz, aby te kamienie stały się chlebem.* Pamiętajmy, że Jezus pościł przez czterdzieści dni, prawdopodobnie przyjmując tylko tyle pożywienia, ile było konieczne do przeżycia, więc był bardzo głodny. Poza tym Jezus wkrótce miał czynić cuda, które dalece przewyższały niezwykłością przemianę kamieni w chleb, więc nie byłoby to dla Niego szczególnie trudne. Skoro tak, co mogło być w tym złego? Wskazówkę stanowi odpowiedź Jezusa udzielona szatanowi: *Napisano: Nie samym chlebem żyje człowiek, ale każdym słowem, które pochodzi z ust Bożych.* Rzecz nie w tym, czy Jezus uczynił to, co podsunął Mu szatan. Chodziło o to, czy Jezus, podobnie jak wcześniej Izrael, zażąda dla siebie wygody i ulgi *od razu* czy też pójdzie ścieżką pokory i cierpienia, którą przeznaczył Mu Ojciec. Gdy ludzie wciąż na nowo grzeszyli, żądając natychmiastowego nasycenia, Król Jezus zaufał, że Bóg Go podtrzyma i o Niego zadba.

Gdy Jezus odparł pierwszą pokusę, szatan zabrał Go do Jerozolimy i umieścił w najwyższym miejscu świątyni. Już sama wysokość przyprawiała o zawrót głowy. *Jeżeli jesteś Synem Bożym* – powiedział – *rzuć się w dół, napisano bowiem: Aniołom swoim przykaże o tobie, abyś nie zranił o kamień nogi swojej.* Słowa szatana ponownie wydawały się brzmieć sensownie, a tym razem zacytował on nawet Jezusowi Pismo Święte! Jednak podobnie jak wcześniej, chodziło o nakłonienie Jezusa, aby poszedł swoją własną drogą zamiast Bożą – żeby domagał się od Boga, jak wielokrotnie wcześniej Izrael, konkretnego *dowodu* Jego opieki. Rozumiesz? Szatan kusił Jezusa, żeby wywyższył się ponad Ojca przez próbę wymuszenia pomocy Ojca zamiast polegania na Jego słowie. Jezus odmówił, odpowiedział przeciwnikowi: *Napisane jest również: Nie będziesz kusił Pana, Boga swego.* Inaczej mówiąc: „Nie będziesz w Niego wątpił, domagając się dowodu Jego opieki. Zaufaj Mu, polegaj na Jego słowie, a On zadba o ciebie w odpowiednim czasie na swój sposób".

Trzecia pokusa była najbardziej bezczelna. Zabrawszy Jezusa na szczyt bardzo wysokiej góry, szatan pokazał Mu wszystkie królestwa świata z ich chwałą. Następnie złożył Jezusowi taką propozycję: *To wszystko dam ci, jeśli upadniesz i złożysz mi pokłon.* Cóż za zuchwała i zdradliwa oferta! Stworzenie wzywa Stwórcę do pokłonienia się i oddania mu czci, a w zamian proponuje Synowi wszystko to, co Ojciec wcześniej już Mu obiecał, ale *z dala* od ścieżki, na której Ojciec go umieścił. Izrael wielokrotnie przechodził dawniej tę samą próbę – pokusę, aby sprzymierzyć się z potężnymi sąsiadami, manewrować i działać po swojemu, okazując nieposłuszeństwo; wszystko po to, by zyskać bezpieczeństwo oraz chwałę dla samych siebie z rąk innych ludzi, ale nie od Boga. Raz za razem Izrael ulegał tej pokusie; Król Jezus ją przezwyciężył. Zakończył walkę, mówiąc kusicielowi: *Idź precz, szatanie! Albowiem napisano: Panu Bogu swemu pokłon oddawać i tylko jemu służyć będziesz*[60].

Czy widzisz, co czynił Jezus podczas konfrontacji z szatanem na pustyni? Podjął walkę o sprawiedliwość i posłuszeństwo, którą Jego lud, Izrael, przegrał z kretesem wiele lat wcześniej. Trzy pokusy, które przedstawił Mu szatan – aby porzucić zaufanie Bogu, wymusić Jego pomoc i nie oddać Mu czci – doprowadziły wcześniej naród Izraela do wielkiego upadku. Okazały się sprawdzoną i skuteczną bronią przeciwnika, więc użył ich wobec Króla Izraela. Jednak tym razem szatan poniósł klęskę. Król Jezus nie oddał mu pola. Obrońca Izraela stoczył bitwę za swój lud i zwyciężył!

Łukasz odnotowuje: *A gdy dokończył diabeł kuszenia, odstąpił od niego do pewnego czasu*[61]. Wojna nie została za-

---

[60] Mt 4:3–10.
[61] Łk 4:13.

kończona, ale do toczącej się od wieków batalii o duszę ludzkości przystąpił ktoś, kto miał odwrócić jej losy.

6

TRYUMF OSTATNIEGO ADAMA

Konflikty często sięgają korzeniami głęboko w przeszłość. Jeśli czytasz wiadomości o wojnach, bitwach i starciach toczących się każdego dnia, wiesz, że te wydarzenia nie biorą się z niczego. Niekiedy ich źródeł należy szukać nawet wiele wieków wcześniej. Tak właśnie było z Jezusem i szatanem. Kiedy Jezus spotkał się z wielkim oskarżycielem na pustyni i go pokonał, był to kulminacyjny moment konfliktu ciągnącego się przez tysiąclecia, który dotyczył całej ludzkości. Mówiąc precyzyjnie, był to początek końca tego konfliktu. Szatan od wieków przeciwstawiał się Bogu i Jego planom na świecie, ale teraz spotkał się twarzą w twarz z tym, który miał go ostatecznie pokonać. Szatan zdawał sobie sprawę, kim jest Jezus. Dwie z trzech pokus rozpoczynały się nawiązaniem do Jego tożsamości jako Syna Bożego. Jednak mimo to szatan miał nadzieję, że uda mu się przywieść Jezusa do grzechu. Czemu by nie? Każda inna istota ludzka uległa jego pokusom. Dlaczego z Nim miałoby być inaczej? Może Bóg popełnił błąd, stając się człowiekiem – przyjmując ludzkie ciało, słabości i ograniczenia? A może i Boga uda się w końcu... złamać?

Kiedy jednak dobiegło końca pierwsze spotkanie z Jezusem, szatan musiał sobie uświadomić, że jego nadzieje są płonne. Właściwie można by się zastanawiać, czy widząc, że jego najskuteczniejsza taktyka zawiodła, odszedł ze świadomością, że koniec jest bliski. Ciekawe, czy pamiętał głos Boga, który obiecał mu tysiące lat wcześniej: *ono zdepcze ci głowę, a ty ukąsisz je w piętę*[62].

Na pewno zatęsknił za dniami, w których wojna przeciwko Bogu wydawała się przynosić lepsze wyniki.

CHCIAŁ ZDETRONIZOWAĆ BOGA

Biblia nie mówi wiele o szatanie. Koncentruje się na Bogu, Jego więzi z istotami ludzkimi, ich buncie i grzechu przeciwko Niemu oraz Jego planie ocalenia ludzi i przebaczenia im. Niemniej jest w niej obecny także szatan, kusiciel i oskarżyciel ludzkości, największy wróg Boga i Jego planów. Nie wiemy zbyt wiele na temat jego pochodzenia, ale Biblia zawiera kilka wskazówek o tym, skąd się wziął. Przede wszystkim oczywiste jest, że szatan w żadnym wypadku nie jest *anty-Bogiem*, równym mocą samemu Bogu, lecz o przeciwnym Mu charakterze. Innymi słowy, nigdy nie jest przedstawiony jako jang dla Bożego jin.

W istocie prorocy Starego Testamentu stwierdzają, że szatan pierwotnie został stworzony przez Boga jako anioł, aby służyć Mu tak jak inni aniołowie. Oto jak opisuje go Ezechiel:

---

[62] Zob. 1Moj 3:15.

Ty, który byłeś odbiciem doskonałości, pełnym mądrości i skończonego piękna, byłeś w Edenie, ogrodzie Bożym; okryciem twoim były wszelakie drogie kamienie: karneol, topaz i jaspis, chryzolit, beryl i onyks, szafir, rubin i szmaragd; ze złota zrobione były twoje bębenki, a twoje ozdoby zrobiono w dniu, gdy zostałeś stworzony. Obok cheruba, który bronił wstępu, postawiłem cię; byłeś na świętej górze Bożej, przechadzałeś się pośród kamieni ognistych. Nienagannym byłeś w postępowaniu swoim od dnia, gdy zostałeś stworzony, aż dotąd, gdy odkryto u ciebie niegodziwość[63].

Lektura Księgi Ezechiela wskazuje, że ten opis w pierwszym rzędzie odnosi się do króla miasta zwanego Tyr. Poprzedzają go słowa Boga skierowane do proroka: *zanuć pieśń żałobną na królem Tyru*[64]. Jednak proroctwa Starego Testamentu zawierają cudowne tajemnice i czasem kryją w sobie więcej, niż wydawać się może na pierwszy rzut oka. Tak przedstawia się sprawa z przytoczoną tutaj wypowiedzią proroka. Od pierwszych słów tego przesłania jasne jest, że Ezechiel nie mówi w nim *tylko* o królu Tyru. Zresztą co miałoby znaczyć, że ten człowiek – władca bogatego, ale stosunkowo mało znanego portu na starożytnym Bliskim Wschodzie – był *w Edenie*, stał *obok cheruba, który bronił wstępu*, i był *na świętej górze Bożej*? Nie miałoby to żadnego sensu – nawet w przypadku poezji byłoby to przekroczenie granic absurdu i prowadziłoby do artystycznego fiaska.

Najwyraźniej chodzi tu o coś innego, a efekt jest niemal kinowy. Wygląda to tak, jakby przez twarz złego

---

[63] Ez 28:12–15.
[64] Ez 28:12.

króla Tyru co pewien czas przezierało inne oblicze – oblicze tego, który stoi za złem Tyru, który je napędza i którego charakter ono odzwierciedla. Czy widzisz, czego dokonuje tu Ezechiel? Wzmacniając przesłanie swojego proroctwa przeciwko królowi Tyru, pozwala nam dostrzec tego, który bardziej niż ktokolwiek inny uosabia bunt przeciw Bogu – szatana. Dlatego Ezechiel kontynuuje swoją wypowiedź, opisując upadek szatana z wysokiej pozycji: *Twoje serce było wyniosłe z powodu twojej piękności. Zniweczyłeś swoją mądrość skutkiem swojej świetności. Zrzuciłem cię na ziemię; postawiłem cię przed królami, aby się z ciebie naigrawali*[65]. Inny prorok, Izajasz, tak opisuje grzech szatana: *O, jakże spadłeś z nieba, ty, gwiazdo jasna, synu jutrzenki! Powalony jesteś na ziemię, pogromco narodów! A przecież to ty mawiałeś w swoim sercu: Wstąpię na niebiosa, swój tron wyniosę ponad gwiazdy Boże [...]. Wstąpię na szczyty obłoków, zrównam się z Najwyższym*[66].

Grzech szatana polegał przede wszystkim na pysze. Mimo całego swojego niewypowiedzianego splendoru i piękna nie był zadowolony z tego, kim Bóg go uczynił. Chciał więcej. Jak mówi Izajasz, chciał zrównać się z Najwyższym. Chciał zdetronizować Boga.

Nic więc dziwnego, że kiedy szatan postanowił zaatakować ludzi, kusząc ich do buntu przeciwko Bogu i pójścia własną drogą, obiecywał, że jeśli zrzucą z siebie Jego autorytet, sami *staną się jak Bóg*.

---

[65] Ez 28:17.
[66] Iz 14:12–14.

ŻYWY DOWÓD, ŻE BÓG JEST KRÓLEM

Historia rozpoczyna się na samym początku Biblii, w 1 Księdze Mojżeszowej, i szybko staje się jasne, dlaczego ludzkość potrzebuje Jezusa. Skutecznie nakłaniając do grzechu pierwszych ludzi, szatan przypuszcza atak, który – jak uważa – bezpowrotnie zrujnuje ludzkość, a równocześnie uderzy nie tylko w Boże serce, ale i w podstawę Jego tronu.

Słowo *genesis* (grecka nazwa 1 Księgi Mojżeszowej) oznacza „początek" i to właśnie początek opisuje ta księga. Pierwsze rozdziały mówią, jak Bóg stworzył cały świat – ziemię, morze, ptaki i ryby – powołując go do istnienia swoim słowem. Czytamy, że gdy Bóg zakończył swą pracę, Jego stworzenie było dobre. Księga wskazuje też, jak Bóg uwieńczył swoje dzieło, stwarzając istoty ludzkie. Pierwszy człowiek nie był kolejnym zwierzęciem. Był szczególny, jak ujmuje to Biblia, stworzony przez Boga na Jego obraz i wyraźnie umieszczony ponad całym stworzeniem. Ludzkość zajmowała szczególne miejsce w sercu Boga i Jego planie. Oto jak 1 Księga Mojżeszowa opisuje stworzenie pierwszego człowieka: *Ukształtował Pan Bóg człowieka z prochu ziemi i tchnął w nozdrza jego dech życia. Wtedy stał się człowiek istotą żywą*[67]. Hebrajskie słowo odpowiadające w tym tekście określeniu „człowiek" to *adam* – w naturalny sposób stało się imieniem pierwszego człowieka, Adama.

Bóg od początku traktował Adama z wielką życzliwością. Umieścił go w szczególnej okolicy, zwanej Edenem,

---

[67] 1Moj 1:27, 2:7.

w której Bóg wcześniej zasadził ogród. Było to piękne miejsce, płynęła tu rzeka i *wyrosło z ziemi wszelkie drzewo przyjemne do oglądania i dobre do jedzenia.* Ponadto w środku ogrodu rosły dwa nadzwyczajne drzewa – *drzewo życia* oraz *drzewo poznania dobra i zła.* Życie Adama w ogrodzie było dobre, ale na początku niepełne. Adam potrzebował towarzystwa i Bóg to wiedział: *Niedobrze jest człowiekowi, gdy jest sam. Uczynię mu pomoc odpowiednią dla niego.* Więc Bóg uczynił to, co zrobiłby w tym momencie każdy z nas: polecił Adamowi nadać nazwy zwierzętom![68]

Jeśli właśnie zastanawiasz się, o co w tym wszystkim chodzi, nie ty jeden! Więcej osób łamało sobie głowę nad tym wątkiem historii pierwszego człowieka. Większość z nich, w tym i doświadczeni chrześcijanie, sprowadza go do miłej opowiastki dla dzieci, czegoś w rodzaju przerwy reklamowej, zanim opowieść potoczy się dalej i zostanie stworzona Ewa. Jednak jeśli chcesz zrozumieć Biblię, musisz zapamiętać jedną ważną zasadę: nic w niej nie znalazło się przypadkowo. Adam nazywający zwierzęta nie jest tu wyjątkiem. Po pierwsze, Bóg udziela mu istotnej lekcji. Kiedy paradują przed nim wszystkie zwierzęta, ptaki i owady, a Adam wypowiada ich nazwy: „Tygrys!", „Nosorożec!" czy „Komar!", zdaje sobie sprawę, że żadne z tych stworzeń nie będzie dla niego odpowiednim towarzyszem. Żadne z nich nie jest jak on.

Kiedy to do niego dociera, Bóg zsyła na Adama głęboki sen, wyciąga z jego boku żebro i stwarza pierwszą kobietę, żeby była towarzyszką Adama. Wyobraź sobie

---

[68] 1Moj 2:8–10.18.

podekscytowanie Adama, kiedy się obudził i zobaczył ją u swego boku! Była doskonała! Zwłaszcza że wcześniej przekonał się, jak bardzo nie nadawały się do tej roli płetwal błękitny, żyrafa czy żuk, Adam wykrzyknął: *Ta dopiero jest kością z kości moich i ciałem z ciała mojego. Będzie się nazywała mężatką, gdyż z męża została wzięta*[69]. Między innymi dlatego Bóg chciał, żeby Adam nazwał wszystkie zwierzęta. Chciał, aby bez zgadywania wiedział, że stojąca przed nim kobieta została stworzona właśnie dla niego, a nawet w najbardziej intymny sposób *z niego*.

Oprócz tego nazywanie zwierząt miało jeszcze inny wymiar. Bóg musiał być zachwycony, przyglądając się Adamowi, kiedy ten wykonywał swoje zadanie. Ale nie było ono wyłącznie rozrywką. Bóg chciał uzmysłowić Adamowi, że ma do wykonania w świecie pewną pracę. Jako zwieńczenie stworzenia – jedyne stworzenie uczynione na obraz Boga – Adam miał władać Bożym światem. Nadanie czemuś nazwy jest wyrazem sprawowania nad tym autorytetu, podobnie jak rodzicom przypada w udziale przywilej nadania imienia dziecku. Tak więc nadając nazwy zwierzętom, Adam korzystał ze swojej uprzywilejowanej pozycji. Wykonywał swoje zadanie jako zarządca Bożego stworzenia z nadania samego Boga.

Fakt ten zyskuje szczególną wymowę, kiedy zdamy sobie sprawę, że gdy tylko Adam zobaczył kobietę, nadał jej imię – *Będzie się nazywała mężatką*. Później Biblia mówi, że nadał jej imię Ewa. Pewnie już się domyślasz, do czego zmierza Bóg. Daje początek hierarchii autorytetu, w której

---

[69] 1Moj 2:23.

Adamowi powierzył autorytet nad Ewą, a obojgu razem jako mężowi i żonie nadał autorytet nad stworzeniem – zaś wszystko to ma odzwierciedlać fakt, że Bóg zasiada na tronie ponad wszystkim. Między innymi to właśnie kryje się w stwierdzeniu Boga, że stworzył mężczyznę i kobietę na swój obraz. Obraz lub posąg bywały często używane przez zwycięskich królów, aby przypominać pokonanym, kto nimi włada. Umieszczano je w widocznym, podwyższonym miejscu, żeby były dostrzegalne z daleka. Obwieszczały ludziom: „To jest wasz król". Tak było również z Adamem i Ewą w Bożym stworzeniu. Obok wszystkich innych aspektów stworzenia na obraz Boga oznaczało ono, że ludzie mieli być przypomnieniem dla całego świata, że Bóg jest Królem. Nawet ich władza nad stworzeniem wynikała z tego, że reprezentowali wielkiego Króla, samego Boga.

Wszystko to musiało niezmiernie drażnić szatana.

NIEMAL CAŁKOWITE ZNISZCZENIE

Atak szatana na ludzi był precyzyjnie obliczony na to, by obalić wszystko, co Bóg uczynił w ogrodzie. Przeciwnikowi nie chodziło jedynie o to, żeby jeden mały człowiek popełnił jeden mały grzech przeciwko Bogu. Chciał on wywrócić do góry nogami cały porządek autorytetu, każdy symbol królewskiej władzy i rządów, który ustanowił Bóg. Chciał obalić całą strukturę stworzenia – od dołu do góry, a przy okazji upokorzyć Boga.

Zgodnie ze słowami Biblii, Bóg powiedział Adamowi i Ewie, że mogą jeść z każdego drzewa w ogrodzie z wyjątkiem jednego – drzewa poznania dobra i zła. Drzewo to jest istotne z kilku powodów. Po pierwsze, miało przypominać ludziom, że ich władza nad stworzeniem nie jest suwerenna, lecz została im udzielona i jest ograniczona. Kiedy Bóg powiedział, żeby nie jedli owocu z tego drzewa, nie był to Jego kaprys. Słusznie przypominał Adamowi i Ewie, że jest ich Królem i chociaż zostali uhonorowani funkcją zarządców stworzenia, to On pozostaje ich Stwórcą i Panem. Dlatego kara, którą Bóg wyznaczył za nieposłuszeństwo, była tak surowa: *gdy tylko zjesz z niego, na pewno umrzesz*[70]. Nieposłuszeństwo wobec tego przykazania oznaczałoby ze strony Adama i Ewy próbę odrzucenia Bożego autorytetu, a w istocie – wypowiedzenie wojny Królowi.

Drzewo było też ważne z innej przyczyny. Pierwsi czytelnicy 1 Księgi Mojżeszowej natychmiast zorientowaliby się, że sformułowanie „znać dobro i zło" odnosi się do typowych obowiązków sędziego w Izraelu. Sędzia odróżniał dobro od zła i podejmował odpowiadające temu osądowi decyzje. Drzewo poznania dobra i zła było w związku z tym miejscem sądu. Właśnie tam Adam powinien był sprawować swoją władzę jako opiekun Bożego ogrodu, pilnując, by żadne zło nie miało do niego dostępu, a jeśliby się pojawiło – by zostało osądzone i wyrzucone.

Właśnie tam, przy drzewie sądu, które miało przypominać Adamowi o ostatecznym panowaniu Boga, szatan przypuścił atak. Przyjmując postać węża, podsunął Ewie myśl, żeby złamać Boży zakaz i zjeść owoc. Tak tamto spotkanie opisuje 1 Księga Mojżeszowa:

---

[70] 1Moj 2:17.

A wąż był chytrzejszy niż wszystkie dzikie zwierzęta, które uczynił Pan Bóg. I rzekł do kobiety: Czy rzeczywiście Bóg powiedział: Nie ze wszystkich drzew ogrodu wolno wam jeść? A kobieta odpowiedziała wężowi: Możemy jeść owoce z drzew ogrodu, tylko o owocu drzewa, które jest w środku ogrodu, rzekł Bóg: Nie wolno wam z niego jeść ani się go dotykać, abyście nie umarli. Na to rzekł wąż do kobiety: Na pewno nie umrzecie, lecz Bóg wie, że gdy tylko zjecie z niego, otworzą się wam oczy i będziecie jak Bóg, znający dobro i zło. A gdy kobieta zobaczyła, że drzewo to ma owoce dobre do jedzenia i że były miłe dla oczu, i godne pożądania dla zdobycia mądrości, zerwała z niego owoc i jadła. Dała też mężowi swemu, który był z nią, i on też jadł[71].

Taki był tragiczny rezultat tego wydarzenia, które stanowiło, przynajmniej wtedy, niemal całkowite zwycięstwo szatana. Nie tylko przekonał ukochanych przez Boga do nieposłuszeństwa, obiecując im to, czego sam od dawna pragnął – *będziecie jak Bóg* – lecz także dokonał tego, co od samego początku zamierzył: przewrócił cały porządek autorytetu w stworzeniu.

Oto jak to zrobił. Czy zastanawiałeś się kiedykolwiek, czemu szatan zwrócił się z pokusą do Ewy, a nie do Adama? Mimo że to Adamowi został przekazany autorytet i reszta Biblii konsekwentnie jego obciąża winą za ten grzech, szatan najpierw zwrócił się do Ewy. Dlaczego? Nie dlatego, że ocenił ją jako łatwiejszy cel. Raczej po to, aby upokorzyć Boga i podważyć Jego autorytet. I zamierzył

---

[71] 1Moj 3:1–6.

uczynić to tak przekonująco i głęboko, jak to tylko możliwe. Toteż chciał nie tylko, żeby Adam zgrzeszył przeciwko Bogu, ale też by to Ewa pociągnęła Adama do buntu przeciwko Bogu. Idąc dalej, czy zastanawiałeś się kiedyś, czemu szatan przyszedł do ludzi pod postacią węża? Dlaczego nie jako inny człowiek czy też – jeśli musiało to być zwierzę – żyrafa lub piesek preriowy? Z tego samego powodu: szatan chciał całkowicie i kompletnie obalić Boży porządek. Przyszedł więc jako zwierzę, *nad którym Adam i Ewa mieli władzę,* a także jako (symbolicznie mówiąc) najniższe ze zwierząt, wąż. Rozumiesz? Porządek autorytetu przewrócił się jak kostki domina. Pełzające zwierzę skusiło kobietę, która podburzyła mężczyznę, który wypowiedział wojnę Bogu.

Zniszczenie było niemal całkowite. Adam zawiódł w wypełnianiu swoich zadań na całej linii. Zamiast osądzić węża za jego zło przy drzewie poznania dobra i zła, przyłączył się do jego buntu przeciwko Bogu. Zamiast chronić teren i wypędzić z niego węża, poddał mu ogród. Zamiast wierzyć Bożemu słowu i postępować w oparciu o nie, zwątpił w nie i obdarzył zaufaniem szatana. Zamiast poddać się Bogu i wiernie wypełniać rolę zarządcy stworzenia, postanowił, że sięgnie po koronę dla siebie. Dokładnie tak jak szatan przed nim, postanowił, że chce być *jak Bóg.*

KOSZMAR ŚWIATA

Skutki grzechu Adama były katastrofalne. W warunkach buntu świata przeciwko Stwórcy Bóg wymierzył sprawiedliwość – przeklął zarówno mężczyznę i jego żonę, jak i tego, który ich skusił. Jeśli chodzi o pierwszych ludzi, życie przestało być dla nich rajem. Miało być trudne i wyczerpujące. Rodzenie dzieci miało się stać bolesne, praca – mozolna. Ziemia miała skąpo udzielać swych dóbr. Co najgorsze, intymna więź z Bogiem, którą cieszyli się Adam i Ewa, została znacznie ograniczona; Bóg na zawsze wygnał ich z ogrodu Eden, a drogę powrotną zagrodził anioł z płonącym mieczem. Takie było najgłębsze znaczenie Bożej kary śmierci za nieposłuszeństwo. Owszem, z upływem czasu Adam i Ewa mieli umrzeć fizycznie, lecz istotniejsza była śmierć *duchowa*, której doświadczyli. Zostali odcięci od Boga, Źródła życia, a ich dusze umarły pod ciężarem nieposłuszeństwa.

Ważne, aby zrozumieć, że grzech Adama i Ewy nie dotknął *wyłącznie* ich samych. Wpłynął również na wszystkich ich potomków. Dlatego kolejne rozdziały Biblii pokazują, jak z pokolenia na pokolenie grzech rozprzestrzeniał się wśród ludzi. Syn Adama i Ewy Kain morduje swojego brata, Abla, z powodu dumy i zazdrości; od tego czasu grzech coraz mocniej odciska swoje piętno na sercach ludzi. Potomkowie Kaina czynią pewne postępy na gruncie kultury – budują miasto, a także rozwijają się technologicznie i artystycznie – jednak narracja Biblii nie pozostawia wątpliwości, że stają się coraz bardziej zatwardziali w swoim grzechu, coraz głębiej pogrążają się w buncie przeciwko Bogu, w niemoralności i przemocy. Jeden z potomków Kaina nawet chlubi się, że zabił człowieka tylko dlatego, że tamten go zranił, i chełpliwie zapewnia, że z nawiązką odpłaci temu, kto odważy się go skrzywdzić. Grzech obrócił życie na świecie w koszmar[72].

Równocześnie fizyczne skutki wyroku śmierci na Adama i Ewę – powrót ich ciał do prochu ziemi – dotknęły nie tylko ich samych, ale też *całej ludzkości*. 1 Księga Mojżeszowa zawiera niezwykły rozdział, który przytacza listę potomków Adama wraz z długością życia każdego z nich. Oprócz samej długości życia zadziwia zakończenie poszczególnych wpisów. Raz za razem na koniec relacji padają słowa „i umarł". Adam żył dziewięćset trzydzieści lat i umarł. Set żył dziewięćset dwanaście lat i umarł. Enosz... umarł. Kenan... umarł. Mahalalel, Jered i Metuszelach... wszyscy umarli. Dokładnie tak, jak powiedział Bóg, śmierć panowała wśród ludzi[73].

Dostrzegasz znaczenie tego faktu? Kiedy Adam zgrzeszył, nie zrobił tego jako jednostka, podobnie jak nie tylko on doświadczył konsekwencji swojego grzechu. Zgrzeszył jako przedstawiciel wszystkich, którzy mieli przyjść po nim. Dlatego apostoł Paweł mógł stwierdzić w Nowym Testamencie, że *przez upadek jednego człowieka przyszło potępienie na wszystkich ludzi* oraz *przez nieposłuszeństwo jednego człowieka wielu stało się grzesznikami*[74]. Adam reprezentował nas wszystkich, postąpił za nas wszystkich i *zbuntował się* za nas wszystkich.

To często wydaje się ludziom nieuczciwe. Mówią: „Wolałbym sam podejmować decyzje, a nie być reprezentowanym przez kogoś innego". Jednak, co godne uwagi,

---

[72] 1Moj 4:17–24.
[73] 1Moj 5.
[74] Rz 5:18–19.

tego rodzaju obiekcje nie nasuwały się żadnemu potomkowi Adama. Przypuszczalnie po części dlatego, że wiedzieli, iż *gdyby* znaleźli się na miejscu Adama, wcale nie wybraliby lepiej. Zdawali sobie również sprawę, że ich jedyna nadzieja na zbawienie polega na tym, że Bóg pośle kogoś – innego reprezentanta, jeśli tak można powiedzieć – kolejnego *Adama*, który zająłby ich miejsce i tym razem ich ocalił. Adam reprezentował ludzkość w poddaniu się szatanowi i buncie przeciw Bogu; potrzeba było kogoś *innego*, kto reprezentowałby ludzkość w posłuszeństwie Bogu i zwycięstwie nad szatanem.

WSZYSTKO SPROWADZA SIĘ DO TEGO

Okazuje się, że dokładnie to Bóg zapowiedział.

Niemal natychmiast, w następstwie grzechu Adama i Ewy, Bóg obiecał, że podejmie działanie dla ocalenia ludzi, posyłając kolejnego przedstawiciela, kolejnego Adama, który zajmie ich miejsce i – tym razem – wywalczy dla nich zbawienie. Obietnica ta niesie cudowną nadzieję, gdyż pojawia się w najmroczniejszej z możliwych chwil – oto Bóg wymierza sąd wężowi, który zwiódł Adama i Ewę. Tak 1 Księga Mojżeszowa relacjonuje słowa Boga:

> *Wtedy rzekł Pan Bóg do węża: Ponieważ to uczyniłeś, będziesz przeklęty wśród wszelkiego bydła i wszelkiego dzikiego zwierza. Na brzuchu będziesz się czołgał i proch będziesz jadł po wszystkie dni życia swego! I ustanowię nieprzyjaźń między tobą a kobietą, między twoim potomstwem a jej potomstwem; ono zdepcze ci głowę, a ty ukąsisz je w piętę[75].*

---

[75] 1Moj 3:14–15.

Dostrzegasz obietnicę na końcu? Pewnego dnia Bóg pośle człowieka, który zmiażdży głowę węża raz na zawsze. Innymi słowy, człowiek ten ma zrobić to, co *powinien był* uczynić Adam jako przedstawiciel ludzi – ocalić ich od katastrofy, którą ich grzech sprowadził na nich samych i na cały świat.

Od tej chwili obietnica innego reprezentanta – kolejnego Adama – stała się wielką nadzieją ludzkości. Pokolenie za pokoleniem wypatrywało dnia, w którym Bóg ją spełni. Od czasu do czasu ludzie zastanawiali się nawet, czy ten lub tamten człowiek nie jest przypadkiem obiecanym odkupicielem. Dlatego, kiedy urodził się Noe, jego ojciec, Lamech, oznajmił z nadzieją: *Ten nas pocieszy w pracy naszej i mozole rąk naszych na ziemi, którą przeklął Pan*[76]. Oczywiście nie był on tym zapowiedzianym i oczekiwanym. Owszem, podobnie jak Adam, Noe stał się reprezentantem rasy ludzkiej, lecz prawie natychmiast po opuszczeniu arki udowodnił, że też jest grzesznikiem. To oznaczałoby, że drugi Adam zawiódł tak samo jak pierwszy, jasne więc było, że odkupiciel jeszcze nie nadszedł.

Na przestrzeni wieków i historii Izraela nadzieje ludzi na wypełnienie się Bożych obietnic wiązały się z kolejnymi reprezentantami. Mojżesz, Jozue, Dawid, Salomon, sędziowie, królowie – każde pokolenie żywiło nadzieję, że to któryś z nich jest tym, którego oczekują. Jednak za każdym razem okazywało się inaczej.

Wtedy jednak nadszedł Jezus, ostatni Adam, który miał zająć miejsce reprezentanta ludzkości i uczynić to,

---

[76] 1Moj 5:29.

w czym zawiódł pierwszy Adam. Dlatego konfrontacja między Jezusem i szatanem na pustyni była tak ważna. Jezus nie występował w niej tylko jako obrońca Izraela – król z rodu Dawida – ale także jako obrońca i rzecznik ludzkości, który miał zwyciężyć tam, gdzie nasz praojciec Adam poniósł druzgocącą porażkę.

Pamiętasz trzy pokusy, których szatan użył przeciwko Jezusowi na pustyni? Faktycznie dotyczyły one trzech sfer, w których upadł Izrael, ale również stanowiły istotę pokusy szatana skierowanej do Adama i Ewy w ogrodzie. Nietrudno usłyszeć ich echo:

> Jezusie, zamień te kamienie w chleb; jesteś przecież głodny, *zaspokój teraz swój głód.*

> Spójrz na ten owoc, Adamie; wygląda wspaniale; *zerwij go teraz.*

> Jezusie, czy Bóg naprawdę dotrzymuje obietnic? Ja twierdzę, że nie. *Niech to udowodni.*

> Czy Bóg naprawdę powiedział, że umrzesz, Adamie? Ja mówię, że tak nie będzie. *Wystawmy Go na próbę* i zobaczmy.

> Jezusie, skłoń się i *oddaj mi cześć,* a dam ci wszystkie królestwa tego świata.

> Bądź mi posłuszny, Adamie. *Oddaj mi cześć,* a sprawię, że będziesz jak Bóg!

Starcie Jezusa z szatanem tamtego dnia toczyło się nie tylko na płaszczyźnie osobistej. Owszem, doświadczał pokusy, żeby móc współczuć swojemu ludowi, ale uczynił także coś, czego nikt nigdy nie był w stanie zrobić – oparł się pokusie do samego końca, aż jej siła się wyczerpała, i pokonał ją. Tocząc tę bitwę na rzecz swojego ludu przeciw jego śmiertelnemu wrogowi, czynił to, co ludzie powinni czynić od samego początku. Czcił Boga, okazywał Mu posłuszeństwo i uwielbiał Go *za nich* jako ich Król, Zastępca i Orędownik.

Nie był to jednak koniec. Chociaż szatan został pokonany, przekleństwo – „na pewno umrzecie" – wciąż wisiało nad głową ludzkości niczym miecz. Dlatego, choć Król Jezus pokonał szatana, wytrwale opierając się jego pokusom i prowadząc *całe życie* w doskonałej sprawiedliwości przed Bogiem, wciąż rozlegał się krzyk sprawiedliwości, że grzech Jego ludu nie może po prostu zostać zignorowany czy odsunięty na bok. Wszyscy zbuntowali się przeciwko Bogu i sprawiedliwość domagała się, żeby Boży wyrok – duchowa śmierć, oddzielenie od Boga oraz Jego gniew – został w pełni wykonany. Jakiekolwiek jego pomniejszenie zakwestionowałoby charakter Boga.

Jeśli Król Jezus miał zbawić swój lud od jego grzechów, nie wystarczało pokonanie ich arcywroga. Ostatecznie szatan tylko *kusił* ich do grzechu, oni sami natomiast postanowili zbuntować się przeciwko Bogu. Oznaczało to, że wymagana była wciąż niezapłacona kara śmierci. Stąd też, chcąc ocalić swój lud, Jezus musiał usunąć to przekleństwo. Miał pozwolić, żeby kara śmierci ogłoszona przez Boga – kara Jego sprawiedliwego gniewu wobec grzeszników – spadła na Niego, a nie na nich. Miał stać się ich zastępcą nie tylko w życiu, ale i w śmierci.

Wszystko sprowadza się do tego: jeśli Jego ludzie mieli żyć, ich zastępca musiał umrzeć.

7

BARANEK BOŻY, OFIARA ZA CZŁOWIEKA

Jan Chrzciciel wiedział, dlaczego Jezus przyszedł na ten świat i co będzie musiał uczynić, żeby zbawić swój lud.

Widząc Jezusa, który podchodził ku rzece Jordan, aby przyjąć chrzest, Jan wskazał na Niego i wykrzyknął coś, co zarówno podekscytowało, jak i wprawiło w zakłopotanie tłum: *Oto Baranek Boży, który gładzi grzech świata*[77]. Koncepcja baranka ofiarowanego Bogu w celu zgładzenia grzechu była Żydom niezwykle bliska. Dlaczego jednak Jan odnosił ją do *osoby*? Brzmiało to niepokojąco. Przecież wszyscy wiedzieli, co działo się z barankiem, którego składano Bogu w ofierze za grzech.

Podrzynano mu gardło, a zwierzę wykrwawiało się na śmierć.

KTOŚ MUSIAŁ UMRZEĆ

Czasem mówi się, że źródeł systemu ofiarniczego Izraela należy szukać w ucieczce z niewoli egipskiej, jednak jego najgłębsze korzenie sięgają aż do ogrodu Eden, a mianowicie do wyroku śmierci, który Bóg ogłosił wobec Adama

---

[77] J 1:29.

i Ewy, kiedy ci postanowili się przeciw Niemu zbuntować. Jeśli mamy zrozumieć żydowskie ofiary, a ostatecznie znaczenie samego Jezusa, musimy pojąć, że kiedy Bóg powiedział Adamowi i Ewie, iż jeśli zgrzeszą – umrą, nie podjął arbitralnej decyzji. Nie było to stwierdzenie w rodzaju: „W dniu, w którym zjecie z tego drzewa, na pewno zamienicie się w ropuchy".

Bóg ogłosił, że konsekwencją grzechu będzie *śmierć*, ponieważ było to doskonale odpowiednie i sprawiedliwe. Jak ujął to później w Nowym Testamencie apostoł Paweł, *zapłatą [tj. słuszną i właściwą należnością] za grzech jest śmierć*[78]. Nietrudno zrozumieć dlaczego. Po pierwsze, kiedy Adam i Ewa zgrzeszyli, nie złamali jakiejś nieistotnej zasady, którą ustanowił Bóg. Jak już wcześniej widzieliśmy, próbowali zrzucić z siebie autorytet Boga. W istocie zadeklarowali swoją niezależność od Niego. Problem polegał na tym, że Bóg, któremu wypowiadali posłuszeństwo, był źródłem ich życia i tym, który je podtrzymuje. To On tchnął życie w ich płuca i dzięki Niemu istnieli, więc kiedy ich relacja z Nim została zerwana – kiedy zostali od Niego oddzieleni i odcięci – ich połączenie z jedynym źródłem życia również zostało zerwane.

Co więcej, dobry i słuszny jest również Boży gniew wobec buntowników. Biblia uczy, że Bóg jest w swoim charakterze doskonale dobry, prawy i sprawiedliwy. Kiedy weźmiemy to pod uwagę, nie powinno nas zaskakiwać, że nienawidzi grzechu, który z natury stanowi zbratanie się ze złem i odrzucenie tego, co dobre, prawe i sprawiedli-

---

[78] Rz 6:23.

we. Oczywiście Boży gniew nie przypomina naszego, nie jest oznaką wybuchowości i nie wymyka się spod kontroli. Wręcz przeciwnie – jest zdecydowanym, stałym sprzeciwem wobec grzechu i niezmiennym zamiarem zniszczenia go. Dlatego Bóg powiedział Adamowi i Ewie, że umrą, jeśli zgrzeszą, i dlatego każdy człowiek żyje teraz pod wyrokiem śmierci: przez grzech – przez zamianę dobroci Boga na samolubne zło – zasłużyliśmy na Boży gniew i odcięliśmy się od źródła wszelkiego życia.

Tak głęboko sięgają korzenie systemu ofiarniczego Izraela. Bóg uczył swój lud, że grzech ze swojej natury zasługuje na śmierć i domaga się śmierci jako słusznej odpłaty. Ofiary wskazywały jednak również na inną zasadę, która dawała nadzieję w samym środku skrajnej beznadziei: *kara śmierci nie musiała zostać zapłacona przez grzesznika!*

Ktoś musiał ją zapłacić – zapłatą za grzech pozostaje śmierć – lecz Bóg w swojej miłości i miłosierdziu pozwolił, aby wyrok śmierci został wykonany na zastępcy, który zajmował miejsce grzesznika. Kiedy się nad tym zastanowić, można dostrzec, jak to rozwiązanie cudownie wyraża zarówno nieugiętą Bożą sprawiedliwość, jak i Jego miłosierdzie. Kara należna za grzech miała zostać zapłacona, wymaganie sprawiedliwości – zaspokojone, ale sam grzesznik niekoniecznie musiał umrzeć.

Najbardziej chyba przejmującym przykładem tej zasady było święto Paschy, które upamiętniało ocalenie przez Boga Jego ludu z niewoli w Egipcie. Pascha wspominała jedną szczególną noc, kiedy Bóg w dramatycznych okolicznościach wykonał wyrok śmierci na mieszkańcach Egiptu. W ciągu kilku tygodni poprzedzających tę pamiętną noc Bóg ostrzegał faraona, że jego odmowa wypuszczenia Izraelitów zasługuje na śmierć dla niego i jego ludu. Dziewięciokrotnie Bóg ukazał swoją moc i suwerenną władzę nad Egiptem – naród został dotknięty przez serię dziewięciu plag. Poprzez owe plagi Bóg rzucił wyzwanie bogom Egiptu i pokonał ich, udowadniając Egipcjanom, że tylko On jest Bogiem.

Dramat plag osiągnął punkt kulminacyjny podczas dziesiątej z nich. Bóg w następujący sposób opisał Mojżeszowi, co zamierza uczynić w Egipcie:

I rzekł Pan do Mojżesza: Jeszcze jedną plagę ześlę na faraona i na Egipt, potem wypuści was stąd [...]. O północy przejdę przez Egipt. I pomrą wszyscy pierworodni w ziemi egipskiej, od pierworodnego syna faraona, który miał zasiąść na jego tronie, aż do pierworodnego syna niewolnicy, która jest przy żarnach, i wszelkie pierworodne bydła. I powstanie wielki krzyk w całej ziemi egipskiej, jakiego przedtem nie było i potem nie będzie. Lecz na nikogo z Izraelitów nawet pies nie warknie, ani na ludzi, ani na bydło, abyście poznali, że Pan robi różnicę między Egipcjanami a Izraelitami [79].

Na tym polegał straszliwy sąd, który Bóg miał wylać, jednak obiecał, że zachowa swój lud, *jeśli* będzie Mu posłuszny i wykona Jego polecenia.

To, co polecił swojemu ludowi, musiało być samo w sobie przerażające. Powiedział, że nocą, kiedy umrą pierworodni, każda rodzina ma wziąć baranka – nie ułomnego,

---

[79] 2Moj 11:1.4–7.

ale bez żadnej skazy – i zabić go o zmierzchu. Następnie rodzina miała go spożyć. Co ważniejsze, Bóg nakazał im wziąć nieco krwi zwierzęcia i umieścić ją na odrzwiach i nadprożu domu. To było kluczowe, ponieważ Bóg powiedział, że kiedy będzie przechodził przez ziemię egipską, aby zabić pierworodnych, gdy ujrzy krew przy wejściu do domu, ominie ten dom, a jego mieszkańców nie dotknie zgubna plaga. Jeśli zrobią to wszystko – jeśli baranek zostanie zabity, a rodzina skryje się za jego krwią – zostaną ocaleni[80].

Zatrzymajmy się tu na chwilę i pomyślmy. Pewnie zastanawiasz się, czy Izraelici nie byli nieco zdziwieni, że Bóg miał przechodzić również przez *ich* domy i osiedla. Z poprzednimi dziewięcioma plagami było inaczej. Żaby, komary, muchy, szarańcza, grad i ciemność, krew i wrzody dotknęły całego Egiptu, z wyjątkiem miast zamieszkanych przez Izraelitów. Dotąd Bóg czynił zdecydowaną różnicę między nimi a Egipcjanami i nie musieli robić nic poza przyglądaniem się temu, co się dzieje. Tym razem jednak Bóg mówi, że nawiedzi ich domy plagą śmierci i umrą tak jak Egipcjanie, jeśli nie uwierzą Bogu i nie posłuchają Go.

Noc, podczas której Bóg przeszedł przez miasta Egiptu, zabijając każdego pierworodnego za grzech ludzi, musiała być przerażająca. Cały kraj napełnił się krzykami Egipcjan, gdy ich dzieci umierały. Można się zastanawiać, czy wtórowali im Izraelici, którzy nie uwierzyli Bogu i szydzili z Jego słów. Biblia milczy na ten temat.

---

[80] 2Moj 12:1–13.

Rozumiesz, czego Bóg uczył Izraelitów tamtej nocy? Po pierwsze, było to szokujące przypomnienie ich własnej winy. Bóg przypominał im, że zasługują na karę śmierci dokładnie tak samo jak Egipcjanie. Również byli winni grzechu.

Z tego wydarzenia wypływała jeszcze jedna lekcja. W umysłach i sercach Izraelitów została wypalona moc i znaczenie ofiary zastępczej. Zabicie baranka nie było czystym zajęciem, a raczej czymś krwawym i drastycznym. Ojciec przyklękał za zwierzęciem, brał nóż i podrzynał zwierzęciu gardło, toteż krew tryskała wszędzie dookoła. Baranek zaczynał się zataczać, dławić, aż w końcu padał martwy. Kiedy to się działo, każde oko odruchowo przenosiło wzrok z umierającego baranka na małego chłopca i cała rodzina zdawała sobie sprawę: ten baranek umiera, żeby nie musiał umrzeć mały Jozue. Baranek umiera w miejsce Jozuego.

Rozumiesz? Bóg uczył swój lud w rozdzierający, drastyczny sposób, że *nie może* po prostu odłożyć ich grzechu na bok. Musi zostać przelana krew. Ktoś musiał umrzeć, bo takiej kary wymaga grzech. Kiedy ojciec umieszczał krew na odrzwiach i nadprożu, trzymając na rękach małego Jozuego, i zamykał za sobą drzwi, wszyscy w rodzinie wiedzieli, że są winni i zasługują na śmierć. Bóg nie oszczędził ich z powodu ich własnej niewinności. Nie ocalił ich dlatego, że nieco mniej zasługiwali na śmierć niż Egipcjanie. Bynajmniej. Oszczędził ich, bo ktoś inny umarł w ich miejsce. Kiedy Bóg przechodził z wydobytym mieczem sądu w dłoni, zaufali krwi baranka.

TYM RAZEM NIE ZWIERZĘ

Z upływem czasu Bóg ustanowił cały system ofiar ze zwierząt, przez który Jego lud nauczył się, że zapłata za grzech – realny i zły – może zostać poniesiona przez zastępcę. Równocześnie Bóg zaczął wskazywać, że karę za grzech nie zawsze będą ponosiły zwierzęta.

Jeden z najbardziej znaczących przykładów tego może łatwo ujść naszej uwagi, gdyż jest bardzo subtelny. A jednak stanowi jedną z najgłębszych i najistotniejszych nauk Starego Testamentu. Po wyjściu z Egiptu Izraelici długo wędrowali przez pustynię i – wierzcie lub nie – narzekali, że Bóg nie daje im wystarczająco dużo jedzenia (lub nie jest ono wystarczająco dobre) oraz wody. Raz za razem Bóg zaspokajał ich potrzeby, a oni narzekali i szemrali przeciwko Niemu. W 2 Księdze Mojżeszowej w rozdziale 17 opisano wydarzenie, które na pierwszy rzut oka wygląda jak jeszcze jedna sytuacja, w której Izraelici narzekali, a Bóg zaopatrzył ich w wodę. Lecz w istocie wydarzyło się tam coś niepomiernie większego. Bóg miał nauczyć swój lud czegoś spektakularnego i całkowicie niespodziewanego.

Tamtego dnia doszli do miejsca zwanego Refidim i – tak jak wielokrotnie wcześniej – zaczęli narzekać, że Bóg wyprowadził ich na pustynię, by przyprawić ich o śmierć, tym razem z pragnienia. Jednak w Refidim narzekanie Izraela osiągnęło nowy poziom. Biblia jasno mówi, że teraz wystawiali Boga na próbę! Chcieli co prawda ukamienować Mojżesza, ale Mojżesz był rzecznikiem Boga. Problem ludzi dotyczył nie Mojżesza, a Boga. Wyprowadził ich na pustynię, aby ich zabić – teraz zarzucali Mu morderstwo!

Biblia opisuje instrukcje, których Bóg udzielił Mojżeszowi wobec zarzutów stawianych Bogu. Poleca zgromadzić lud i stanąć przed nim wraz ze starszymi Izraela. Ma to swoją wymowę, gdyż starsi pełnili rolę sędziów narodu; sprawowali sąd w sytuacjach, w których wnoszono zarzuty takie jak te. Ponadto Bóg powiedział Mojżeszowi, by wziął swoją laskę. To kolejny istotny detal, gdyż nie była to zwykła laska, lecz ta, którą Mojżesz dotknął wody Nilu, zamieniając ją w krew, ta, którą proch ziemi przeobraził w komary, ta, którą wyciągnął nad wodami Morza Czerwonego, aby zamknęły się nad armią Egiptu. Inaczej mówiąc, była to laska, której Mojżesz używał, kiedy chodziło o *sąd*.

Toteż cała scena nabiera zdecydowanie złowrogiego klimatu. Lud został zgromadzony, zebrali się też starsi, przyniesiono laskę sądu. To tak, jakby Bóg mówił w ten sposób do swojego buntowniczego, zrzędzącego ludu: „Chcecie rozprawy? W porządku, będziecie ją mieli!" Ktoś miał zostać potępiony. Miał zostać wymierzony sąd.

Wobec kogo? Nie wobec Boga, ale wobec *Izraela* za jego narzekanie, szemranie, niewierność Bogu, który raz za razem okazywał się wobec swego ludu wierny. Laska sądu miała być użyta przeciwko *Izraelowi*.

Tu jednak nastąpił niezwykły zwrot akcji, tak subtelny, że nawet wielu doświadczonych chrześcijan go nie dostrzega. Spójrzmy, jak Biblia opisuje, co zaszło:

I wołał Mojżesz do Pana, mówiąc: Co mam począć z tym ludem? Niewiele brakuje, a ukamienują mnie. I rzekł Pan do Mojżesza: Przejdź się przed ludem i weź z sobą kilku ze starszych Izraela. Weź także do ręki laskę swoją, którą uderzyłeś Nil, i idź! Oto Ja stanę przed tobą na skale, tam, na Horebie, a ty uderzysz w skałę i wytryśnie z niej woda, i lud będzie pił. Mojżesz uczynił tak na oczach starszych Izraela[81].

Czy dostrzegasz coś w samym środku tego fragmentu? Widzisz, gdzie zostaje powstrzymana laska sądu? Tak, na skale, ale kto na niej jest? *Bóg. Stanę przed tobą na skale* – mówi Bóg – *a ty uderzysz w skałę.* Inaczej mówiąc, Bóg nalega: „Weź laskę sądu, która słusznie *powinna* spaść na mój lud za narzekanie, grzech oraz niewierność, i uderz nią *Mnie".* Tak właśnie uczynił Mojżesz i co z tego wynikło? Uwolnione zostało życie; woda wypłynęła ze skały!

Wielka zasada zastępstwa została wyniesiona na całkiem nowy poziom. Teraz już nie zwierzę, ale *sam Bóg* przyjął na siebie sąd i przekleństwo, które powinny były spaść na Jego lud! Dzięki temu żyli i nie umarli.

WIELKI KRÓL I CIERPIĄCY SŁUGA

Przez kolejne wieki Bóg uczył swój lud coraz więcej na temat zasady zastępstwa, aż prorok Izajasz – w większym stopniu niż ktokolwiek inny w Starym Testamencie – powiązał wszystkie elementy w jedno. Wiemy już, że Izajasz prorokował, iż nadejdzie Boski Król, aby władać światem w doskonałej sprawiedliwości i prawości oraz ocalić lud

---

[81] 2Moj 17:4–6.

Boży od wrogów[82]. Już samo to byłoby wystarczająco chwalebne, ale Izajasz zapowiedział także, że Boski Król – nazwany „Bogiem Mocnym" – będzie też cierpiącym sługą Boga, który poniesie grzechy swojego ludu, biorąc na siebie należny ludowi wyrok śmierci.

Oto jak Izajasz opisuje dzieło tego Boskiego, królewskiego cierpiącego sługi:

> *Lecz on nasze choroby nosił, nasze cierpienia wziął na siebie. A my mniemaliśmy, że jest zraniony, przez Boga zbity i umęczony. Lecz on zraniony jest za występki nasze, starty za winy nasze. Ukarany został dla naszego zbawienia, a jego ranami jesteśmy uleczeni. Wszyscy jak owce zbłądziliśmy, każdy z nas na własną drogę zboczył, a Pan jego dotknął karą za winę nas wszystkich [...]. Za mękę swojej duszy ujrzy światło i jego poznaniem się nasyci. Sprawiedliwy mój sługa wielu usprawiedliwi i sam ich winy poniesie*[83].

Rozumiesz, o czym mówi tu Izajasz? Oto wielki Król nie tylko ustanowi Królestwo doskonałej sprawiedliwości. Jako cierpiący sługa weźmie również na siebie karę śmierci w miejsce swojego ludu. Wchłonie przekleństwo, które ciąży nad ludźmi, i uzdolni ich do życia z Nim na wieki w Królestwie, które ustanowi.

ON WIEDZIAŁ, DLACZEGO PRZYSZEDŁ

To wszystko miał na myśli Jan Chrzciciel, kiedy zawołał tamtego dnia: *Oto Baranek Boży, który gładzi grzech świa-*

---

[82] Iz 9:6–7.
[83] Iz 53:4–6.11.

ta[84]. Rozpoznał w Jezusie ostateczną ofiarę, która miała być złożona za lud, rozpoznał od tak dawna przepowiadanego cierpiącego sługę, który miał zostać starty za niegodziwości swojego ludu.

Tak więc, jak widzieliśmy, Jezus został ochrzczony nie dlatego, że potrzebował się nawrócić ze swoich grzechów, ale aby utożsamić się i zjednoczyć z grzesznymi ludźmi, których przyszedł zbawić – jako Boży Syn, Reprezentant, Król, Orędownik i cierpiący sługa Pana. To właśnie oznaczały słowa wypowiedziane z nieba: *Ten jest Syn mój umiłowany, którego sobie upodobałem*[85]. Słowa „którego sobie upodobałem" stanowią zamierzone echo fragmentu z Księgi Izajasza, w którym po raz pierwszy Bóg mówi o cierpiącym słudze.

Mam nadzieję, że dostrzegasz teraz niezwykłość tego, co wydarzyło się tamtego dnia na brzegu Jordanu. Chrzest i głos z nieba wprowadzają Jezusa w rolę, którą Bóg przeznaczył Mu od samego początku. Można nawet powiedzieć, że za pomocą słów z nieba Bóg ogłasza potrójne ukoronowanie Jezusa – daje Mu koronę nieba jako Bożemu Synowi, koronę Izraela jako długo oczekiwanemu królowi i koronę z cierni jako cierpiącemu słudze, który miał ocalić ludzi, umierając za nich, w ich miejsce.

Żadna z tych rzeczy nie stanowiła dla Jezusa zaskoczenia. Wiedział, dlaczego przyszedł, i doskonale zdawał sobie sprawę, czego będzie od Niego wymagało zbawienie ludu z jego grzechu. Miał przyjąć na siebie Boży gniew

---

[84] J 1:29.
[85] Mt 3:17.

skierowany przeciwko Jego ludowi. To właśnie miał na myśli, kiedy powiedział, że przyszedł dać *życie swoje na okup za wielu*[86]. Myślał o tym samym, gdy podał uczniom kielich podczas ostatniego wspólnego posiłku i wskazał: *Pijcie z niego wszyscy; albowiem to jest krew moja nowego przymierza, która się za wielu wylewa na odpuszczenie grzechów*[87]. Język był symboliczny, ale rzeczywistość, którą wyrażał – niezwykle mocna. Jezus miał umrzeć. Wieczny Syn Boży, długo oczekiwany Król, który podjął porzucony miecz i toczył bitwę swojego ludu, miał zapłacić karę za grzech ludzkości. Cierpiący sługa miał ponieść niegodziwości ludzi, umrzeć w ich miejsce i uczynić ich sprawiedliwymi przed Bogiem.

JEDYNY SPOSÓB

W nocy przed swoją śmiercią Jezus spożywał z uczniami ostatni posiłek, który przyniósł jedno z najbardziej przejrzystych wyjaśnień toczących się wydarzeń. Co roku Żydzi świętowali Paschę, wspólnie spożywając posiłek. Miał on im przypominać o wielkim wyzwoleniu, którego dokonał Bóg, ocalając ich z niewoli w Egipcie. Zatem kiedy Jezus z uczniami spożywali wieczerzę, świętowali cudowne wybawienie. Ale Jezus planował jeszcze coś innego. W trakcie kolacji wytłumaczył, że teraz ma nastąpić jeszcze większy akt zbawienia, który ocali Boży lud nie z fizycznej niewoli i śmierci, ale z *duchowej* niewoli i *duchowej* śmierci. Miał się dokonać jeszcze większy akt miłości niż

[86] Mt 20:28.
[87] Mt 26:27–28.

wyprowadzenie z Egiptu. Oto co Jezus powiedział podczas ostatniej wieczerzy:

A gdy oni jedli, wziął Jezus chleb i pobłogosławił, łamał i dawał uczniom, i rzekł: Bierzcie, jedzcie, to jest ciało moje. Potem wziął kielich i podziękował, dał im, mówiąc: Pijcie z niego wszyscy; albowiem to jest krew moja nowego przymierza, która się za wielu wylewa na odpuszczenie grzechów[88].

Miłość Jezusa do uczniów doprowadziła Go do miejsca, w którym Jego krew miała zostać wylana, żeby oni mogli być zbawieni. On miał umrzeć, żeby oni otrzymali wolność i przebaczenie grzechu, niewiary i buntu przeciw Bogu.

Następnie dochodzimy do jednego z tych miejsc Biblii, do których niemal nie wypada wchodzić. Jest zbyt osobiste i zbyt bolesne. Po posiłku Jezus bierze uczniów do ogrodu Getsemane. Wie, co ma nadejść, i odchodzi na stronę, żeby się modlić. Jego modlitwa jest rozdzierająca, ale ponownie pokazuje miłość, która spowodowała, że zniósł krzyż: *Potem postąpił nieco dalej, upadł na oblicze swoje, modlił się i mówił: Ojcze mój, jeśli można, niech mnie ten kielich minie; wszakże nie jako Ja chcę, ale jako Ty*[89].

Istniał sposób, żeby kielich Bożego gniewu, który miał wypić Jezus, ominął Go. Wcale *nie musiał* z niego pić – mógł pozwolić nam, grzesznikom, zostać potępionymi i skazanymi na wieczną śmierć. To Jezus miał na myśli, kiedy mówił o dwunastu legionach aniołów do dyspozycji. Siedemdziesiąt dwa tysiące aniołów oczekiwały, aby w jed-

---

[88] Mt 26:26–28.
[89] Mt 26:39.

nej chwili, na *szept* Jego ust, zabrać Jezusa z powrotem do chwały, ku czci i uwielbieniu miliardów istot anielskich, które uczciłyby Go jako doskonale sprawiedliwego i prawego Syna Bożego.

Jednak ich nie wezwał. Powstrzymał je na krawędzi nieba, skąd przyglądały się całej scenie, ponieważ On i jego Ojciec postanowili ocalić swój upadły lud. Od kiedy decyzja zapadła, był tylko jeden sposób na wykonanie tego dzieła – Jezus musiał wypić kielich Bożego gniewu. Tak brzmiało pytanie Jezusa w ogrodzie: „Ojcze, czy jest inny sposób na ocalenie ich? Czy ci ludzie mogą zostać uratowani bez poniesienia przeze mnie kary śmierci i oddzielenia od Ciebie?" Odpowiedź, choć milcząca, była jednoznaczna. „Nie, nie ma innego sposobu".

Dlaczego? Ponieważ Bóg nie mógł zamieść grzechu pod dywan. Nie mógł go zignorować, udawać, że się nie wydarzył, czy z miejsca go przebaczyć. Musiał się nim zająć – prawdziwie, sprawiedliwie i w prawy sposób. Przecież psalmista powiedział: *Sprawiedliwość i prawo są podstawą tronu twego*[90]. Jezus miał wypić kielich Bożego gniewu, ponieważ nas ukochał i chciał nas zbawić, ale również dlatego, że kochał Boga Ojca i nie chciał, żeby Jego chwała przy tym ucierpiała. My mieliśmy zostać ocaleni, a Bóg – uwielbiony.

Ale tylko pod warunkiem, że Król Jezus umrze.

---

[90] Ps 89:15; 97:2.

GDY ZAWISŁ NA KRZYŻU

Rzymska praktyka krzyżowania pozostanie jedną z najbardziej makabrycznych, upokarzających i ohydnych metod przeprowadzania egzekucji, jakie oglądała historia ludzkości. Było ono czymś tak okropnym, że w wyrafinowanym i kulturalnym społeczeństwie greckim czy rzymskim nie używało się nawet słowa *krzyż* w towarzystwie. Było ono napiętnowane, gdyż odnosiło się do najbardziej pogardzanego i znienawidzonego sposobu uśmiercania.

Ukrzyżowanie w świecie rzymskim nigdy nie stanowiło prywatnego wydarzenia. Zawsze było czymś otwartym i paląco publicznym. Miało bowiem na celu wprawienie tłumów w panikę, tak aby poddały się władzom. Rzymianie dbali, żeby krzyże, na których wisiały złamane, powykręcane ciała umierających lub gnijące ciała martwych skazańców, stały przy głównych drogach wjazdowych do miast. Co więcej, planowali krzyżowanie na czas świąt państwowych lub religijnych, by jak najwięcej osób mogło być świadkami tego koszmaru. Brutalnie krzyżowano tysiące morderców, rabusiów, zdrajców, a szczególnie niewolników na całym obszarze cesarstwa i zawsze działo się przy „pełnej widowni". Władzom rzymskim zależało, żeby groza krzyża była wszechobecna w życiu państwa.

Gdy weźmie się pod uwagę ilość i częstotliwość krzyżowania w społeczeństwie rzymskim, wydaje się zaskakujące, jak niewiele jest starożytnych relacji na jego temat. Powód może być ten sam – mało kto chciał pisać o takiej odrażającej praktyce. Władze wręcz *zachęcały* wykonujących egzekucje do realizowania na skazanych najbardziej sadystycznych, brutalnych i niegodziwie pomysłowych fantazji. Nic więc dziwnego, że relacje, którymi dysponujemy, są raczej krótkie, a ich autorzy zwykle zamiast szczegółowo opisywać okropności krzyża, jedynie czynią do nich aluzje lub je wspominają. Zdają się mówić: „Nie chcielibyście wiedzieć".

Porozrywane ciało rozpięte na bezlitosnym drzewie, żelazne szpikulce rozdzierające kości i uszkodzone nerwy, stawy powyrywane pod ciężarem martwego ciała, publiczne upokorzenie na oczach rodziny, przyjaciół i świata – tym był krzyż, „pal hańby", jak nazywali go Rzymianie, „gołe drzewo", *maxima mala crux* czy też *stauros*, jak mawiali Grecy. Doprawdy nic dziwnego, że nikt o nim nie mówił. Nic dziwnego, że rodzice zasłaniali oczy dzieciom, żeby nie patrzyły. *Stauros* był czymś odpychającym, podobnie jak ten, który na nim umarł – podły przestępca, który kwalifikował się tylko do tego, żeby wisieć tak jako gnijące ostrzeżenie dla każdego, kto chciałby pójść w jego ślady.

Tak umarł Jezus.

Jednak jego ukrzyżowanie było odmienne od tych, które ludzie dotychczas widzieli. Wszystko wskazywało na to, że mężczyzna wiszący na *tym* krzyżu był kimś niezwykłym – bo działo się tam coś niezwykłego.

Po pierwsze, chodzi o zachowanie Jezusa, kiedy wisiał na krzyżu – co mówił do tych, którzy go otaczali. Większość przestępców krzyżowanych przez Rzym błagała o miłosierdzie, miotała przekleństwa na żołnierzy i gapiów lub po prostu jęczała z bólu. Z Jezusem było inaczej. Wisząc tam, znosząc obraźliwe słowa żydowskich przełożonych, drwiny ukrzyżowanych przy nim mężczyzn i zimną, wyrachowaną obojętność rzymskich żołnierzy, wydawał się przejęty miłością dla tych, którzy go zabijali. Kiedy jeden z ukrzyżowanych obok przestępców rozpoznał, kim jest Jezus, usłyszał z Jego ust: *Zaprawdę, powiadam ci, dziś będziesz ze mną w raju*[91]. Kiedy żołnierze ciągnęli losy u stóp krzyża, żeby zdecydować, kto miał wziąć Jego szatę, spojrzał w niebo i pomodlił się: *Ojcze, odpuść im, bo nie wiedzą, co czynią*[92]. To zdumiewające, ale Jezus nawet wisząc na krzyżu, okazywał miłość, ocalał i dawał nadzieję ludziom wokół.

Po wtóre, niezwykłe było to, jak znosił kpiny – *nieustanne szyderstwo*. Rzymianie rozpoczęli je podczas biczowania, ubierając Jezusa w płachtę z purpurowego materiału, wkładając w Jego ręce trzcinę, która miała udawać berło, i sporządzając z wiązki cierni koronę, którą wcisnęli na Jego głowę. Następnie kłaniali się Mu i wołali: *Bądź pozdrowiony, królu żydowski!* Miało to na celu upokorzenie w równej mierze całego narodu żydowskiego i samego Jezusa, a jednak kiedy zawisł na krzyżu, Jego rodacy również zaczęli się z Niego naigrawać. Mówili: *Ratuj siebie samego, jeśli jesteś Synem Bożym, i zstąp z krzyża.* Ktoś dodał: *Innych ratował, a siebie samego ratować nie może.* Przez cały ten czas Jezus nic nie odpowiadał. Chociaż wiedział, że wiele z tego, co mówili, było, o ironio, *prawdą*, po prostu wytrwał[93].

---

[91] Łk 23:43.
[92] Łk 23:34.
[93] Mt 27:29.40.42.

Trzecia kwestia to ciemność. Autorzy Ewangelii wskazują, że od południa do godziny trzeciej po południu Jerozolimę spowijała gęsta ciemność. Wiele atramentu zużyto, by opisać, czym mogła być owa ciemność: zaćmieniem słońca, burzą piaskową czy może efektem aktywności wulkanicznej. Jednak ludzie, którzy byli naocznymi świadkami tego wydarzenia, ujrzeli w niej działanie samego Boga. Łukasz stwierdził po prostu, że *zaćmiło się słońce*[94].

W istocie ciemność, która pokryła ziemię, była głębokim symbolem tego, co działo się na krzyżu, kiedy umierał Jezus. Biblia wielokrotnie opisuje sąd Boży jako *ciemność*. To czerń śmierci i grobu. Tam, na Golgocie, mrok sądu spowił Jezusa, Syna Bożego, cierpiącego sługę.

Kiedy krzyż został uniesiony, zgodnie z relacją Mateusza, Jezus zawołał głośno: *Eli, Eli, lama sabachtani! Co znaczy: Boże mój, Boże mój, czemuś mnie opuścił?*[95] Był to cytat z Psalmu 22, pieśni, w której król Dawid symbolicznie cierpi w miejsce Izraela. Co Jezus miał na myśli? Chciał przekazać, że w tej chwili, przykryty ciemnością sądu, reprezentuje swój lud, przyjmując na siebie samego należną temu ludowi karę – pozostawienie, odrzucenie, odcięcie i oddzielenie od Boga. Kiedy Jezus zawisł na krzyżu, został na Niego złożony cały grzech Bożego ludu i za ten lud umarł. W jego miejsce, jako Orędownik, Zastępca i Król.

W ten sposób starożytny wyrok śmierci, wydany jeszcze w Edenie, został wykonany. Kara została wymierzona, a przekleństwo znalazło wypełnienie. Jezus, Boży Syn,

---

[94] Łk 24:45.
[95] Mt 27:46.

został porzucony przez Ojca z powodu grzechów swojego ludu i umarł z głośnym okrzykiem: *Wykonało się!*[96].

To, co wydarzyło się później, jest piękne. Mateusz relacjonuje, że zasłona w świątyni – wysoka na niemal dwadzieścia metrów tkana kurtyna oddzielająca ludzi od miejsca najświętszego, w którym przebywała obecność Boża – *rozdarła się na dwoje, od góry do dołu*[97]. Oto Bóg zasygnalizował ludziom, że ich długi czas wygnania sprzed Jego obecności raz na zawsze dobiegł końca. Minęły wieki, odkąd Adam i Ewa spojrzeli za siebie ze łzami po wygnaniu z ogrodu Eden; właśnie teraz ludzie ponownie zostali zaproszeni do miejsca najświętszego, obecności samego Boga.

Cierpiący sługa, Król królów, orędownik ludzkości dokonał swojego dzieła. Swoim życiem wypełnił wszystko, czego domagała się sprawiedliwość. Swoją krwią zapłacił należną karę za grzech swojego ludu. Odwrócił tryumf szatana. Raz na zawsze zdobył zbawienie!

Był martwy.

---

[96] J 19:30.
[97] Mt 27:51.

8

ZMARTWYCHWSTAŁY, WŁADAJĄCY PAN

Piątek miał się ku końcowi, a dwóch przestępców ukrzyżowanych z Jezusem wciąż żyło. W każdym innym mieście Rzymianie prawdopodobnie zostawiliby ciała na krzyżach przez noc, a może nawet daliby skazańcom nieco jedzenia i wody, żeby podtrzymać ich przy życiu i przedłużyć ich cierpienia. Jednak tym razem w Jerozolimie postanowili zrobić inaczej. Chociaż Rzymianie krótko trzymali każdy podbity naród, zwykle szanowali tradycje religijne ludów, którymi władali. Podobnie było z Żydami, więc Rzymianie zgodzili się uszanować ich cotygodniowy dzień odpoczynku – sabat, który rozpoczynał się zachodem słońca w piątek i trwał do zachodu słońca w sobotę. Toteż kiedy przełożeni narodu izraelskiego poprosili namiestnika, żeby uczynił coś, aby ciała nie pozostawały na krzyżach w trakcie sabatu, ten przychylił się do ich prośby.

Oznaczało to, że owi trzej ukrzyżowani mężczyźni mieli umrzeć szybko, więc żołnierzom wydano rozkaz dokonania czegoś, co nazywano *crurifragium*. W pewnym sensie był to objaw zimnego miłosierdzia – żołnierz podszedł do jednego z przestępców wiszących przy Jezusie, zamachnął się drzewcem swej włóczni i roztrzaskał mu golenie. Mężczyzna wrzasnął z bólu, ale agonia miała się wkrótce zakończyć. Nie mogąc dłużej podnosić ciała na nogach, by zaczerpnąć powietrza, umarł w ciągu kilku minut. To samo uczyniono z drugim skazańcem, kiedy jednak żołnierze podeszli do Jezusa, zdali sobie sprawę, że już zmarł. Zdziwiło ich to; zwykle ukrzyżowani nie umierali tak szybko. Dla pewności jeden z nich wzniósł włócznię i wbił ją głęboko w bok Jezusa. Kiedy wyciągnął broń z ciała, z rany wypłynęły oddzielone od siebie krew i woda – był to jednoznaczny, niepozostawiający cienia wątpliwości znak, że Jezus faktycznie nie żył.

Niektórzy uczniowie Jezusa, a także Jego matka, byli na Golgocie i obserwowali całą tę scenę. Widzieli, jak żołnierze przybijają Mu nadgarstki do krzyża, a następnie przytwierdzają kolejnym żelaznym ostrzem stopy. Widzieli, jak podnoszono krzyż, widzieli, jak w południe zapadła ciemność. Słyszeli krzyk Jezusa w agonii, kiedy doświadczał odrzucenia przez Boga; słyszeli, jak wykrzyknął, że dzieło jest dokonane; widzieli, jak wydał ostatni oddech i umarł. Teraz mieli zająć się Jego ciałem. Rzymianie nie mieli zamiaru tego robić.

Jeden z naśladowców Jezusa, bogaty człowiek imieniem Józef, pochodzący z Arymatei, do tamtego dnia utrzymywał swoją wiarę Jezusa w tajemnicy, ale wtedy z jakiegoś powodu postanowił już jej nie ukrywać. Udał się więc do namiestnika i zapytał, czy mógłby otrzymać ciało Jezusa. Józef był właścicielem nowego, dopiero co wykutego w skale grobu i chciał tam złożyć Jezusa. Piłat wyraził zgodę, więc Józef wraz z innymi uczniami Jezusa rozpoczęli nieprzyjemne czynności związane z przygotowaniem ciała do pogrzebu. Krzyż obniżono, żelazne ostrza wyszarpnięto z nadgarstków i kostek, a koronę z cierni umieszczoną na głowie odrzucono na bok. Następnie mężczyźni zaczęli balsamować ciało mieszaniną mirry i aloesu, której zużyto, jak mówi jeden z opisujących te wydarzenia, ponad trzydzieści kilogramów[98].

Słońce już jednak zachodziło i nie byli w stanie dokończyć rozpoczętych czynności. Mieli wrócić w niedzielę wczesnym rankiem, po sabacie. Tymczasem po prostu owinęli ciało Jezusa w materiał, zanieśli je do grobu i tam złożyli. Potem przytoczyli przed wejście wielki kamień, aby je szczelnie zamknąć, i poszli do domu.

Często zastanawiam się, jak wyglądała ta sobota u tych, którzy przez ostatnie trzy lata naśladowali Jezusa. Prawdopodobnie wydarzenia kilku poprzednich dni kłębiły się w ich głowach i musieli na nowo rozważać wiele kwestii. Mimo wszystkich obietnic, cudów, proroctw i deklaracji – teraz wszystko się skończyło. Z pewnością mieli wiele pytań, ale na pewno wiedzieli wówczas, że Jezus nie żyje – spotkał Go los, jaki czeka każdego człowieka. Rzymianie uczynili go straszliwym, publicznym przykładem, zaś przywódcy żydowscy pozbyli się kolejnego problemu. Nadzieje ulokowane całkowicie w Jezusie – tym, którego uczniowie mieli za Chrystusa, Syna żywego Boga – umarły wraz z nim.

---

[98] J 19:38–42.

Zastanawiam się więc, jak wyglądała ta ich sobota. Biblia mówi, że uczniowie rozproszyli się po aresztowaniu Jezusa, i wydaje się, że większość z nich zaczęła się ukrywać. O ile nam wiadomo, tylko garstka była obecna przy ukrzyżowaniu. Przecież mieli powody do obaw, że władze wkrótce zaczną deptać po piętach uczniom „fałszywego mesjasza" i także ich zabiją. Przycupnęli więc w swoich domach lub domach przyjaciół, mając nadzieję na uniknięcie gniewu Rzymu. I zapewne płakali. Co jeszcze można robić, kiedy wszystko, czego oczekujesz, okazuje się złudzeniem; marzeniem, które rozpływa się w powietrzu?

Jezus, „Boży Syn". „Chrystus". „Król Izraela". „Potomek Dawida". „Ostatni Adam". „Cierpiący sługa".

Wszystko to okazało się ułudą.

Taka była brutalna rzeczywistość:

Jezus był cieślą.

Z Nazaretu.

Był ich przyjacielem.

A teraz nie żył.

Tak musiała się w niedzielę czuć Maria i pozostałe kobiety, kiedy przybyły do grobu Jezusa. Nie szły tam zobaczyć, czy Jezus dotrzymał swojej odważnej obietnicy, że powstanie z martwych. W tym momencie nawet nie pamiętały, że coś takiego mówił. Udały się tam raczej po to, by dokończyć balsamowanie Jego ciała, gdyż nie miały czasu tego zrobić przed zachodem słońca w piątek.

Oczekiwały ponurego, smutnego i przykrego poranka. Jednak sprawy potoczyły się zupełnie inaczej.

To, co ujrzały po przybyciu do grobu, zszokowało je i zmieniło bieg historii świata. Tak opowiada o tym ewangelista Marek:

A gdy minął sabat, Maria Magdalena i Maria Jakubowa, i Salome nakupiły wonności, aby pójść i namaścić go. I bardzo rano, skoro wzeszło słońce, pierwszego dnia tygodnia, przyszły do grobu. I mówiły do siebie: Któż nam odwali kamień od drzwi grobu? Ale gdy spojrzały, zauważyły, że kamień był odwalony, był bowiem bardzo wielki. A gdy weszły do grobu, ujrzały młodzieńca siedzącego po prawej stronie, odzianego w białą szatę i zdumiały się bardzo. On zaś rzekł do nich: Nie trwóżcie się! Jezusa szukacie Nazareńskiego, ukrzyżowanego; wstał z martwych, nie ma go tu, oto miejsce, gdzie go złożono. Ale idźcie i powiedzcie uczniom jego i Piotrowi, że was poprzedza do Galilei; tam go ujrzycie, jak wam powiedział[99].

Zajęło chwilę, zanim rzeczywistość do nich dotarła. Zresztą nie widziały Jezusa – to młody mężczyzna w białej szacie, anioł, powiedział im, że Jezus żyje. Kobiety pobiegły szybko powiedzieć o wszystkim uczniom. Oni również przybyli do grobu, zajrzeli do środka i zobaczyli szaty pogrzebowe Jezusa starannie poskładane i ułożone z boku. Następnie wrócili do domu, a wypełniało ich zdumienie, zdziwienie i nadzieja.

Maria Magdalena, od dłuższego czasu naśladowczyni Jezusa, była pierwszą osobą, która widziała Go zmartwychwstałego. Gdy inni uczniowie odeszli od grobu, stała nieopodal, płacząc. Schyliwszy się, żeby jeszcze raz

---
[99] Mk 16:1–7.

zajrzeć do pustego grobu, została zaskoczona tym razem przez dwóch aniołów, siedzących na półce skalnej, na której wcześniej spoczywało ciało Jezusa. *Niewiasto! Czemu płaczesz?* – zapytali. Odpowiedziała: *Wzięli Pana mego, a nie wiem, gdzie go położyli*[100]. Zatrzymajmy się na chwilę i przyjmijmy coś do wiadomości. Nawet po tym wszystkim, co się wydarzyło – odsunięty kamień, pusty grób, aniołowie mówiący uczniom, że Jezusa nie ma wśród umarłych – najbliżsi uczniowie Jezusa nie byli skorzy do uwierzenia, że wrócił do życia. *W żadnym wypadku* nie byli łatwowiernymi naiwniakami, za których czasem się ich uważa. Maria Magdalena, głośno płacząc i patrząc prosto w oczy anioła, wyraziła *swoje zdanie* – że ktoś zabrał Jego ciało!

Jak pisze Jan, w tym momencie za kobietą pojawił się Jezus. Nie miała pojęcia, że to On; sądziła, że to raczej ogrodnik. *Niewiasto! Czemu płaczesz?* – zapytał. Maria odpowiedziała mu: *Panie! Jeśli ty go wziąłeś, powiedz mi, gdzie go położyłeś*[101]. Myślała, że być może z jakiegoś powodu to ogrodnik usunął ciało z grobu. Jezus nie odpowiedział na tę prośbę.

Za chwilę znała już odpowiedź.

Rzekł jej Jezus: Mario! Wypowiedział jej imię, jak zawsze, z miłością, współczuciem i mocą. Rozpoznała Go. *Obróciwszy się, rzekła mu po hebrajsku: Rabbuni! Co znaczy: Nauczycielu!*[102] To On! Oto ukrzyżowany Jezus, który powstał z martwych!

---

[100] J 20:13.
[101] J 20:15.
[102] J 20:16.

W ciągu następnych czterdziestu dni Jezus raz za razem przychodził do uczniów, czasem zgromadzonych w małych grupach, a niekiedy w większej liczbie. Mówił do nich wszystkich, a z niektórymi rozmawiał na osobności. Nauczał, wyjaśniał znaczenie tego, co się wydarzyło, i pomagał im uwierzyć, że naprawdę *żyje*! Kiedy zastanawiali się, czy nie widzą przypadkiem ducha, zjadł z nimi rybę. Kiedy Piotra trapiło poczucie winy z powodu zaparcia się Pana, Jezus mu przebaczył. Jeden z uczniów, Tomasz, kategorycznie stwierdził, że nigdy nie uwierzy w zmartwychwstanie Jezusa, dopóki nie włoży palca w dziury po gwoździach, a dłoni w przebity włócznią bok. Około tygodnia później, kiedy uczniowie zgromadzili się razem, a drzwi były zamknięte, nadszedł Jezus. Nie zapukał do drzwi i nie wszedł przez nie. Po prostu *stanął pośród nich*. Od razu zwrócił się do Tomasza, pokazał rękę i zaproponował: *Daj tu palec swój i oglądaj ręce moje, i daj tu rękę swoją, i włóż w bok mój, a nie bądź bez wiary, lecz wierz*. Tomasz był oszołomiony. Pojął w jednej chwili i powiedział do Jezusa: *Pan mój i Bóg mój*[103].

Musimy zdać sobie sprawę, że człowiek, który przed nimi stał, nie był po *resuscytacji*, tak jakby niezupełnie umarł na krzyżu i jakoś zdołał umknąć śmierci. Nie był nawet kimś, kto został wywołany ze stanu śmierci, jak syn wdowy czy Łazarz. Jezus raczej przeszedł *przez* śmierć i wyszedł z drugiej strony. Rany wciąż były widoczne, ale nie wymagały zaopatrzenia ani leczenia. Stanowiły chwalebny dowód na to, że śmierć na chwilę Go ogarnęła, ale

---

[103] J 20:26–28.

została pokonana. Dla uczniów oznaczało to diametralną zmianę. Rozpacz ustąpiła miejsca tryumfowi, śmierć – życiu, potępienie – zbawieniu, a całkowita porażka – zdumiewającemu zwycięstwu.

Jezus był żywy.

ZMARTWYCHWSTANIE JEZUSA: ZAWIAS, FUNDAMENT I KAMIEŃ SZCZYTOWY

Zmartwychwstanie Jezusa od wieków wywołuje wielkie kontrowersje, a najistotniejsze pytanie, które za nimi stoi, brzmi: czy to się zdarzyło? Kontrowersje te są zrozumiałe, gdyż stawka jest bardzo wysoka. Pomyślmy: jeśli Chrystus faktycznie powstał z martwych po ukrzyżowaniu, zaszło coś oszałamiająco niezwykłego i lepiej zrobimy, słuchając Go, ponieważ wszystko to, co na swój temat mówił – że jest Synem Boga, Królem królów, Panem życia, cierpiącym sługą, drugą osobą Trójcy – zostało potwierdzone. Jeśli zaś *nie* powstał z martwych, Jego deklaracje są pozbawione znaczenia. Kwestia jest zamknięta i nie powinna mieć żadnego znaczenia w historii ludzkości. Możemy się zająć własnym życiem, gdyż Jezus był po prostu jednym z tysiąca Żydów żyjących w I wieku, którzy składali górnolotne oświadczenia odnośnie do własnej osoby, a następnie umarli. Kropka.

Czy rozumiesz teraz, dlaczego chrześcijanie przykładają tak wielką wagę do zmartwychwstania? Zmartwychwstanie jest niejako zawiasem, na którym opiera się całe chrześcijaństwo. To fundament, na którym spoczywa wszystko inne; kamień szczytowy, ku któremu zdąża każda chrześcijańska idea. Oznacza to, że kiedy chrześcijanie podkreślają zmartwychwstanie Chrystusa, jest to stwierdzenie natury *historycznej*, a *nie religijnej*. Oczywiście ma ono swoje religijne implikacje, jeśli tak chcesz je nazwać, ale są one bez najmniejszego znaczenia, jeśli Jezus faktycznie, prawdziwie nie wrócił do życia z martwych. Nawet pierwsi chrześcijanie to rozumieli. Nie interesowało ich stworzenie przyjemnego religijnego opowiadania, które zachęciłoby ludzi, pomogło im żyć lepiej i ewentualnie dostarczyło im metafory nadziei w środku rozpaczy i burz życia. Nic z tych rzeczy – pierwsi chrześcijanie chcieli przekazać światu prawdziwą wiarę w to, że Jezus faktycznie *powstał z grobu*, i doskonale zdawali sobie sprawę, iż jeśli tak nie było, wszystko inne, za czym się opowiadają, jest puste, fałszywe i całkowicie bezwartościowe. Apostoł Paweł tak to ujął w jednym ze swoich listów: *Jeśli Chrystus nie został wzbudzony, tedy i kazanie nasze daremne, daremna też wasza wiara; [...] jeśli Chrystus nie został wzbudzony, daremna jest wiara wasza; jesteście jeszcze w swoich grzechach. [...] Jeśli tylko w tym życiu pokładamy nadzieję w Chrystusie, jesteśmy ze wszystkich ludzi najbardziej pożałowania godni*[104].

Inaczej mówiąc, jeśli Jezus nie powstał z martwych, chrześcijanie są żałośni.

Jest też jednak druga strona tego medalu: jeśli Jezus *powstał* z martwych, każdy człowiek musi zmierzyć się z wezwaniem, by uwierzyć temu, co powiedział, uznać Go za Króla i poddać się Mu jako Zbawicielowi i Panu.

---

[104] 1Kor 15:14–19.

Rzecz jasna, dotyczy to również *ciebie*, szanowny czytelniku. Dlatego tak ważne jest, żebyś ty – tak, właśnie ty, który czytasz te słowa – podjął decyzję, co myślisz o zmartwychwstaniu Jezusa. W takiej kwestii nie wystarczy wstrzymać się z osądem. Musisz to rozważyć i wybrać jedną z dwóch możliwości: „Tak, myślę, że to się wydarzyło – Jezus powstał z martwych i wierzę, że jest tym, za kogo się podawał" lub „Nie, myślę, że to się nie zdarzyło, i odrzucam Jego stwierdzenia". Czasem ludzie mówią, że brak opinii w sprawie zmartwychwstania jest zasadny, ponieważ nie można dojść prawdy lub nieprawdy stwierdzeń religijnych. Jak już jednak wcześniej zauważyliśmy, chrześcijańska deklaracja o powstaniu Jezusa z grobu nie ma natury *religijnej*, lecz *historyczną*. Chrześcijanie twierdzą, że wydarzyło się to tak samo faktycznie i realnie jak panowanie Juliusza Cezara na tronie imperium rzymskiego. Jest to stwierdzenie, nad którym można myśleć i które można badać; można wyrobić sobie na jego temat zdanie i dojść do wynikających z niego wniosków.

Czy uważasz, że to się stało czy nie?

Oto fundamentalna prawda o chrześcijanach: my uważamy, że tak właśnie było.

Jesteśmy zdania, że uczniowie nie doznali swego rodzaju zbiorowej halucynacji. Nie ma to sensu, kiedy weźmiemy pod uwagę, ile razy, przez jaki czas i ilu różnym grupom osób ukazywał się Jezus.

Nie uważamy także, że wszystko to było jedną wielką pomyłką. Ostatnia rzecz, której życzyli sobie żydowscy przywódcy, to rozchodzące się pogłoski o wzbudzonym z martwych Mesjaszu – więc wobec takiej sytuacji od razu pokazaliby ciało, żeby położyć im kres. Nie uczynili tego. Gdyby natomiast Jezusowi udało się jakoś przeżyć ukrzyżowanie, jak duże jest prawdopodobieństwo, że taki chwiejący się na nogach, poraniony i przebity włócznią człowiek byłby w stanie przekonać swoich upartych, sceptycznych uczniów, że jest Panem życia i zwycięzcą śmierci? Wydaje mi się, że niezbyt duże.

Co więcej, my, chrześcijanie uważamy, że uczniowie nie zaplanowali oszustwa ani nie uknuli spisku. Gdyby tak było, co chcieliby przez to osiągnąć? I czemu nie wycofali się ze swoich stwierdzeń, kiedy stało się jasne, że nie uzyskają tego, na co liczyli, nim Rzymianie skrócą ich o głowę czy przebiją gwoździami ich nadgarstki?

Nie, to nie była halucynacja, pomyłka czy zmowa. Zdarzyło się coś innego – coś, co miało moc przemienić tych tchórzliwych sceptyków w *męczenników* Jezusa, naocznych świadków gotowych zaryzykować wszystkim ze względu na Niego i przetrzymać wszystko, łącznie z męczeńską śmiercią, aby nieść światu wieść: „Jezus został ukrzyżowany, ale teraz *żyje!*"

MOC SPRAWOWANIA RZĄDÓW, EGZEKWOWANIA SĄDU I UDZIELANIA ZBAWIENIA

Po tej pierwszej niedzieli Jezus przez kolejnych czterdzieści dni nauczał swoich naśladowców i nakazał im oznajmiać światu Jego królewskie panowanie. Po tym czasie wstąpił do nieba. Może to brzmieć jak kolejna porcja mitologicznego, religijnego języka, który w istocie nic nie znaczy, lecz autorzy Biblii widzieli to całkiem inaczej. W istocie opisują wstąpienie Jezusa do nieba w najbardziej dosłowny sposób, w jaki można sobie to wyobrazić:

> *I gdy to powiedział, a oni patrzyli, został uniesiony w górę i obłok wziął go sprzed ich oczu. I gdy tak patrzyli uważnie, jak On się oddalał ku niebu, oto dwaj mężowie w białych szatach stanęli przy nich i rzekli: Mężowie galilejscy, czemu stoicie, patrząc w niebo? Ten Jezus, który od was został wzięty w górę do nieba, tak przyjdzie, jak go widzieliście idącego do nieba*[105].

Kiedy było po wszystkim, uczniowie wyciągali szyje ku niebu, wpatrując się w chmury i zastanawiając, dokąd poszedł Jezus. Nie było to duchowe wstąpienie do nieba, lecz fizyczne.

Może nawet istotniejsze niż sam *fakt* wstąpienia Jezusa do nieba jest jego *znaczenie*. Nie był to sposób na wygodne zniknięcie Jezusa ze sceny. Był to Boży akt wprowadzenia Go na tron, czyli obdarzenia ostatecznym i pełnym autorytetem, aby mógł rządzić, sądzić oraz – co jeszcze cudowniejsze – zbawiać! Jeśli widzisz w sobie grzesznika zasługującego na Boży gniew za bunt przeciwko Niemu, fakt zasiadania przez Jezusa na tronie wszechświata jest zaskakująco dobrą wieścią. Oznacza, że wielki Król, który osądzi cię i wyda w twojej sprawie ostateczny wyrok, jest również tym, który cię kocha i zaprasza do przyjęcia z Jego dłoni zbawienia, miłosierdzia i łaski.

---

[105] Dz 1:9–11.

Takie właśnie jest znaczenie słów Biblii: *Każdy bowiem, kto wzywa imienia Pańskiego, zbawiony będzie*[106]. Oznacza to, że Jezus, wzbudzony z martwych i panujący Król, ten, którego Bóg obdarzył wszelkim autorytetem na niebie i na ziemi, ma prawo i moc zbawić ludzi z ich grzechu.

CO DALEJ?

Pozwól, że zadam ci pytanie. Jeśli to wszystko prawda, co dalej? Jeśli Jezus faktycznie powstał z martwych, jeśli naprawdę jest tym, za kogo się podawał, co teraz z tym zrobisz?

Chciałbym przekazać ci, co w tej kwestii mówi Jezus. Nie jest to trudne ani skomplikowane. Wiemy, co człowiek ma robić, bo Jezus powiedział to bardzo jasno. Kiedy nauczał ludzi, okazywał im miłość, konfrontował ich z grzechem i oznajmiał, kim jest oraz że może ich zbawić, mówił, że mają w Niego uwierzyć – innymi słowy, aby mieli *wiarę* w Niego. *Upamiętajcie się i wierzcie ewangelii* – powiedział. Jeden z ewangelistów napisał natomiast: *Albowiem tak Bóg umiłował świat, że Syna swego jednorodzonego dał, aby każdy, kto weń wierzy, nie zginął, ale miał żywot wieczny*[107].

Ze smutkiem trzeba przyznać, że słowa *wierzyć* i *wiara* niewiele dziś znaczą. Dla wielu są to terminy sentymentalne, przywodzące na myśl Świętego Mikołaja, króliczka wielkanocnego, wróżki i magiczne smoki. Niemniej wieki temu były to poważne, mocne słowa. Wskazywały na siłę, niezawodność, wierność i ufność, którą obdarza się kogoś,

---

[106] Rz 10:13.
[107] Mk 1:15; J 3:16.

kto dowiódł, że jest jej godny. O tym właśnie mówił Jezus, kiedy wzywał ludzi do wiary w Niego. Nie chodziło Mu o to, że masz dojść do wniosku, iż On istnieje – raczej o to, że powinieneś na Nim *polegać*. Powinieneś spojrzeć na Jego stwierdzenia, słowa i czyny, a później zdecydować, czy warto Mu ufać i powierzyć swoje życie.

Co to jednak oznacza? W czym właściwie ufamy Jezusowi? Jak już widzieliśmy, cała historia biblijna uczy nas, że zbuntowaliśmy się przeciw Bogu. Zgrzeszyliśmy przeciwko Niemu, złamaliśmy Jego prawo i odrzuciliśmy Jego władanie nad naszym życiem na milion różnych sposobów. Z powodu tego grzechu słusznie zasługujemy na karę, którą zawsze sprowadzał grzech – śmierć. Zasługujemy, żeby umrzeć fizycznie, a co gorsza, zasługujemy na spotkanie z nieskończonym gniewem Boga. Śmierć – oto nasza należność za grzech.

Dlatego też bardziej niż czegokolwiek innego potrzebujemy, żeby Bóg ogłosił nas sprawiedliwymi, a nie winnymi. Potrzebujemy, by wydał werdykt na naszą korzyść, a nie przeciwko nam. I tu właśnie wkracza wiara w Jezusa. Oto Dobra Nowina, ewangelia Jezusa Chrystusa: Jezus przyszedł właśnie po to, żeby zająć miejsce grzeszników, takich jak ty i ja. Uczynił to, co my powinniśmy zrobić od samego początku, i wziął na siebie przekleństwo śmierci, które nad nami ciąży. Toteż zawierzenie Jezusowi jest niezwykle doniosłym aktem. Kiedy wierzymy w Jezusa, ufamy Mu i polegamy na Nim, jak mówi Biblia, jesteśmy połączeni z Nim jako naszym Królem, przedstawicielem i zastępcą. Stąd też zapis o naszej niesprawiedliwości, nieposłuszeństwie i buncie przeciw Bogu zostaje przypisany Jezusowi, który umiera z jego powodu, w naszym imieniu i w nasze miejsce. Jednocześnie doskonałe życie Jezusa w posłuszeństwie i społeczności z Bogiem zostaje przypisane *nam* i na tej podstawie Bóg ogłasza nas sprawiedliwymi.

Rozumiesz? Kiedy łączysz się z Jezusem przez poleganie na Nim w kwestii zbawienia, dokonuje się niesamowita wymiana: Jezus przyjmuje twój grzech i umiera za niego, ty natomiast otrzymujesz sprawiedliwość Jezusa i żyjesz dzięki Niemu! Na tym jednak nie koniec: połączenie z Jezusem oznacza, że wszystko, co *prawnie* należy do Jezusa z tytułu Jego doskonałego posłuszeństwa Ojcu, staje się także twoje! Nie należy się nam żadne z błogosławieństw zbawienia – nie zasługujemy na nie. Jednak wszystkie one słusznie należą do Jezusa, a my przyjmujemy je, ponieważ jesteśmy połączeni z Nim objęciami rozpaczliwej, ufnej wiary. Tak więc Jezus jest ogłoszony sprawiedliwym i dlatego także *ciebie* ogłasza się sprawiedliwym. On jest uwielbiony i dlatego także *ty* jesteś uwielbiony. On jest wzbudzony z martwych, a zatem i *ty* – z powodu połączenia z Nim – jesteś teraz wzbudzony do duchowego życia z obietnicą fizycznego zmartwychwstania później. Dlatego też Biblia nazywa Jezusa *pierwiastkiem tych, którzy zasnęli*[108]. On żyje na mocy prawa, my żyjemy dzięki połączeniu z Nim.

Oczywiście nie oznacza to, że Jezus jest przedstawicielem i zastępcą każdego człowieka na świecie. Jest On

---

[108] 1Kor 15:20.

przedstawicielem tych, którzy uznają Go za tego, za kogo się podaje, którzy uznają, że może On zrobić to, co zapowiedział, i dlatego składają swoją wiarę i ufność w Nim – polegają tylko na Nim. Każdy z nas, ludzi, znalazł się w stanie otwartego buntu przeciwko Bogu, który nas uczynił. Z tego powodu Bóg nie był w żaden sposób zobowiązany, by zrobić cokolwiek, aby nas ratować. Tak naprawdę mógł nas wszystkich po prostu zniszczyć i posłać do piekła, a aniołowie nieba uwielbiliby Go na całą wieczność za Jego nieskazitelną sprawiedliwość. „Taki jest los buntujących się przeciw Najwyższemu Bogu!" – stwierdziliby. Jednak Bóg, po prostu dlatego, że nas ukochał, posłał swojego Syna, żeby zaoferować miłosierdzie wszystkim nam, buntownikom, którzy przyjdą i zegną kolana przed Nim, uznają Go i przyjmą jako swojego prawowitego Króla. Kiedy to uczynimy, On z niezwykłą miłością zgadza się być naszym zastępcą, zaliczając swoje sprawiedliwe życie na nasze konto i biorąc na siebie karę śmierci, która ciąży na nas.

Nie utrzymuję również, że wiara w Jezusa przejdzie bez echa w twoim życiu. Wręcz przeciwnie. Kiedy składasz wiarę w Jezusie, uznajesz Go za swojego zastępcę i przedstawiciela. Inaczej mówiąc, rozpoznajesz w Nim swojego Króla, a to oznacza, że zacznie On władać twoim życiem, wzywając cię do odwrócenia się od grzechu i zaniechania buntu przeciw Bogu. To odwrócenie się od grzechu Biblia nazywa *upamiętaniem*. Oznacza ono wypowiedzenie wojny grzechowi i podjęcie wysiłku, aby wzrastać w sprawiedliwości, coraz bardziej przypominając

Jezusa. Wierzący nie robi tego jednak sam. Biblia uczy nas, że kiedy łączysz się z Jezusem przez wiarę, Duch Święty – trzecia osoba Trójcy Świętej – przychodzi, by żyć w tobie, i to On daje ci moc i pragnienie, żeby walczyć z grzechem i zdążać wytrwale w stronę sprawiedliwości.

Tak to właśnie wygląda! Tym właśnie jest wiara w Jezusa. Oznacza, że polegasz na Nim jako tym, który cię zbawi, kiedy nie ma żadnej możliwości zyskania zbawienia o własnych siłach. Oznacza, że zdajesz sobie sprawę, iż nie ostaniesz się wobec werdyktu sprawiedliwego Boga, a tym bardziej nie uzyskasz werdyktu „sprawiedliwy" w oparciu o zapis swojego życia. Oznacza jednak także, że wierzysz, iż Jezus *już* zapłacił karę śmierci należną grzesznikom takim jak ty i *już* nabył usprawiedliwiający wyrok, którego potrzebujesz, a twoją jedyną nadzieją jest w stu procentach polegać na Nim jako swoim zastępcy, który cię reprezentuje.

Do takiej ufności Król Jezus – wzbudzony z martwych i panujący z nieba – zaprasza każdego człowieka. Jest to zaproszenie aktualne, bez żadnych ograniczeń, haczyków czy dodatków spisanych drobnym drukiem. Dłoń Króla nie zawsze będzie wyciągnięta w geście zaproszenia, ale jeszcze jest. Jedyne pytanie brzmi, czy się jej uchwycisz, upadniesz przed Nim na kolana, uznając, kim jest, i zaufasz, że wziął na siebie należny tobie Boży sąd – czy też postanowisz, że staniesz przed tym sądem sam.

Wybór należy do ciebie. Przynajmniej przez pewien czas.

ZA KOGO GO UWAŻASZ?

Przynajmniej przez pewien czas.

Te słowa nie stanowią zabiegu retorycznego. W istocie ręka Króla Jezusa nie będzie wyciągnięta w geście miłosierdzia na zawsze. Pewnego dnia, być może już niebawem, dzień miłosierdzia dobiegnie końca i nastanie dzień sądu. Kiedy zbliżał się dzień Jego śmierci na krzyżu, Jezus obiecał, że pewnego dnia powróci i raz na zawsze osądzi ludzi. Dzień zbawienia, łaski i miłosierdzia będzie trwał tylko do tej chwili, a to oznacza, że pewnego dnia wybór już nie będzie należał do ciebie. Zostanie podjęty za ciebie, a ty w jego wyniku zostaniesz odrzucony przez Boga i Jezusa na zawsze.

Dlatego tak ważne jest, żeby udzielić odpowiedzi na pytanie, kim jest Jezus, już *teraz*. Mam nadzieję, że lektura tej książki pomogła ci zdać sobie sprawę, że nie jest to pytanie, które można łatwo zignorować. Cokolwiek ostatecznie będziesz myśleć o Jezusie, pozostaje faktem, że wypowiada On mocno konfrontujące stwierdzenia na temat ciebie i twojej relacji z Bogiem. Pewnie, możesz je zignorować – możesz zignorować wszystko, jeśli naprawdę się postarasz. Ale gdy ktoś mówi: „Zbuntowałeś się przeciw Bogu, który cię uczynił, i ogłosił On w twojej sprawie wyrok śmierci. Ale ja przyszedłem, aby zająć twoje miejsce, zapłacić tę karę i cię ocalić" – są to słowa zasługujące na uwagę.

Może nie jesteś jeszcze gotowy, żeby uwierzyć Jezusowi. Czemu? Masz jakieś inne pytania? Co cię powstrzymuje? Kiedy zidentyfikujesz swoje wątpliwości, nie przechodź nad nimi do porządku dziennego. Zmierz się z nimi. Znajdź odpowiedzi na swoje pytania. Kwestia tożsamości Jezusa ma kluczowe znaczenie. Nie ignoruj jej i nie odkładaj na później. Jeśli dojdziesz do wniosku, który można wyrazić słowami: „Nie wierzę, że Jezus jest taki, jakim opisuje Go Biblia; nie wierzę, że jest tym, za kogo się podawał" – niech tak będzie. Przynajmniej można tu zauważyć poważne podejście do sprawy.

Jednak pragnę o jedno zaapelować: zrób wszystko, żebyś w dniu ostatecznym nie musiał przyznać: „Jednak trzeba było sprawę gruntownie przemyśleć, bardziej się zainteresować i poświęcić więcej czasu na znalezienie odpowiedzi!". Wszystko inne, czego możesz żałować w owym dniu, wypadnie w porównaniu z tym niezmiernie blado.

A może już jesteś gotowy, żeby powiedzieć: „Tak, myślę, że Jezus faktycznie jest Królem, Synem Bożym, cierpiącym sługą. Wiem, że jestem grzesznikiem i zbuntowałem się przeciwko Bogu; wiem także, że zasługuję na śmierć za ten bunt i że Jezus może mnie zbawić". Jeśli tak, musisz wiedzieć, że stanie się chrześcijaninem nie jest trudną rzeczą. Nie trzeba wykonywać żadnych rytuałów, wypowiadać szczególnych słów ani spełniać uczynków. Po prostu trzeba odwrócić się od grzechu i zaufać Jezusowi – polegać na Nim w kwestii zbawienia.

A następnie powiedzieć innym! Właśnie *taki* jest Jezus. On jest tym, który ratuje takich ludzi jak ja.

I jak ty!

O SERII

Seria wydawnicza *9Marks* opiera się na dwóch głównych założeniach. Po pierwsze, kościół lokalny pełni o wiele ważniejszą rolę w życiu chrześcijańskim, niż wielu dzisiejszych chrześcijan sobie to uświadamia. Wierzymy, że zdrowy chrześcijanin jest zdrowym członkiem kościoła.

Po drugie, kościoły lokalne zyskują na przepływie życia i witalności, kiedy organizują swoje życie wokół Słowa Bożego. Bóg przemawia. Kościoły powinny słuchać i iść za Jego głosem. To jest aż tak proste. Kiedy kościół słucha Bożego głosu i za nim podąża, zaczyna przypominać Tego, za którym podąża. Odzwierciedla Jego miłość i świętość. Ukazuje Jego chwałę. Kościół będzie taki jak On, gdy będzie Go słuchał.

Czytelnik zauważy, że również wszystkie dziewięć cech zaczerpniętych z książki Marka Devera z 2001 roku pt. *Dziewięć cech zdrowego kościoła* ma swój początek w Biblii:

- zwiastowanie ekspozycyjne,
- biblijna teologia,
- biblijne zrozumienie ewangelii,
- biblijne zrozumienie nawrócenia,
- biblijne zrozumienie ewangelizacji,

- biblijne zrozumienie członkostwa w kościele,
- biblijne zrozumienie dyscypliny kościelnej,
- biblijne zrozumienie uczniostwa i wzrostu,
- biblijne zrozumienie przywództwa w kościele.

Można oczywiście wymienić inne powinności zdrowego kościoła, takie jak modlitwa. Wierzymy jednak, że tych dziewięć cech jest dzisiaj najczęściej pomijanych (w przeciwieństwie do modlitwy). Tak więc nasze przesłanie skierowane do kościołów brzmi: nie patrzcie na najlepsze praktyki biznesowe czy najnowsze trendy, ale szukajcie u Boga. Zacznijcie od uważnego słuchania Słowa Bożego.

Takie nastawienie leży u podstaw serii książek *9Marks*. Stawiają sobie one za cel dokładniejsze przestudiowanie owych dziewięciu cech w ich różnych aspektach. Niektóre adresowane są do pastorów. Inne do członków kościoła. Mamy nadzieję, że wszystkie połączą uważne studium Biblii, refleksję teologiczną, czynnik kulturowy, wspólne zastosowanie, a nawet nieco osobistego napomnienia. Najlepsze książki chrześcijańskie zawsze są zarówno teologiczne, jak i praktyczne.

Modlimy się, żeby Bóg użył tej książki i innych dla przygotowania Jego oblubienicy, Kościoła, w blasku i wspaniałości na dzień Jego przyjścia.

9Marks

Building Healthy Churches

Czy Twój kościół jest zdrowy?

Misją wydawnictwa 9Marks jest przekazywanie przywódcom zborów biblijnej wizji i praktycznych narzędzi, aby poprzez zdrowe kościoły Boża chwała była rozgłaszana na całym świecie.

Pragniemy pomóc kościołom w pielęgnowaniu dziewięciu cech świadczących o ich zdrowiu, którym jednak często nie poświęca się wystarczająco dużo uwagi. Są to:

- Głoszenie ekspozycyjne
- Teologia biblijna
- Biblijne pojmowanie ewangelii
- Biblijne pojmowanie nawrócenia
- Biblijne pojmowanie ewangelizacji
- Biblijne pojmowanie członkostwa w kościele
- Biblijna dyscyplina w kościele
- Troska o uczniostwo
- Biblijne przywództwo w kościele

Wydawnictwo 9Marks oferuje artykuły, książki, recenzje książek, a także czasopismo publikowane online. Organizujemy też konferencje, nagrywamy wywiady i proponujemy różne inne pomocne narzędzia, aby odpowiednio wesprzeć kościoły w misji ukazywania światu Bożej chwały.

Na naszej stronie internetowej znajdziesz materiały również w języku hiszpańskim, chińskim i portugalskim. Wejdź i zamów nasze bezpłatne czasopismo online.

www.9Marks.org

Książki wydawnictwa 9Marks
opublikowane przez Fundację Ewangeliczną

Członkostwo w kościele
Czym jest ewangelia?
Dyscyplina w kościele
Dziewięć cech zdrowego kościoła
Głoszenie ekspozycyjne
Jak wygląda zdrowy kościół?
Kim jest Jezus?
Zdrowi członkowie kościoła

W PRZYGOTOWANIU:

Ewangelizacja
Starsi w kościele
Uczniostwo
Zdrowa nauka w kościele

Książki można zamówić poprzez stronę:
www.fewa.pl
www.fundacjaewangeliczna.pl

lub pisząc na adres: Fundacja Ewangeliczna
ul. Myśliwska 2, 87-100 Toruń, Poland

Lightning Source UK Ltd.
Milton Keynes UK
UKHW020620260123
415995UK00013B/1868